Manifesto do
Partido Comunista

Dados Internacionais de Catalogação na Publicação (CIP)
(Câmara Brasileira do Livro, SP, Brasil)

Marx, Karl, 1818-1883.

Manifesto do Partido Comunista / Karl Marx e Friedrich Engels; tradução de Marcos Aurélio Nogueira e Leandro Konder. 2. ed. Petrópolis, RJ. Vozes, 2014. – (Vozes de Bolso).

6ª reimpressão, 2022.

ISBN 978-85-326-4189-2

Título original: Manifest der Kommunistischen Partei.

1. Comunismo. 2. Socialismo. I. Engels, Friedrich, 1820-1895. II. Nogueira, Marcos Aurélio. III. Konder, Leandro. IV. Título.

10-01571   CDD-335.422

Índices para catálogo sistemático:

1. Manifesto comunista : 335.422

Karl Marx e Friedrich Engels

Manifesto do Partido Comunista

Tradução de
Marcos Aurélio Nogueira e Leandro Konder

Vozes de Bolso

Tradução realizada a partir do original em alemão intitulado
Manifest der Kommunistischen Partei

© desta tradução:
1998, 2011, Editora Vozes Ltda.
Rua Frei Luís, 100
25689-900 Petrópolis, RJ
www.vozes.com.br
Brasil

Todos os direitos reservados. Nenhuma parte desta obra poderá ser reproduzida ou transmitida por qualquer forma e/ou quaisquer meios (eletrônico ou mecânico, incluindo fotocópia e gravação) ou arquivada em qualquer sistema ou banco de dados sem permissão escrita da editora.

Na presente versão do *Manifesto do Partido Comunista* para a língua portuguesa, as notas de rodapé e suas respectivas chamadas indicadas por *asteriscos* são de K. Marx e F. Engels ou variantes do texto. As notas de rodapé e suas respectivas chamadas indicadas por *números*, com esclarecimentos e informações históricas, são do organizador.
Os *colchetes* indicam acréscimos do organizador ao texto original.

CONSELHO EDITORIAL

Diretor
Gilberto Gonçalves Garcia

Editores
Aline dos Santos Carneiro
Edrian Josué Pasini
Marilac Loraine Oleniki
Welder Lancieri Marchini

Conselheiros
Francisco Morás
Ludovico Garmus
Teobaldo Heidemann
Volney J. Berkenbrock

Secretário executivo
Leonardo A.R.T. dos Santos

Diagramação: AG.SR Desenv. Gráfico
Capa: visiva.com.br

ISBN 978-85-326-4189-2

Este livro foi composto e impresso pela Editora Vozes Ltda.

Sumário

Sobre a tradução, 7

Prefácios

   1. Prefácio à edição alemã de 1872, 13

   2. Prefácio à edição russa de 1882, 15

   3. Prefácio à edição alemã de 1883, 18

   4. Prefácio à edição inglesa de 1888, 20

   5. Prefácio à edição alemã de 1890, 27

   6. Prefácio à edição polonesa de 1892, 32

   7. Prefácio à edição italiana de 1893, 34

Manifesto do Partido Comunista, 37

I. Burgueses e proletários, 39

II. Proletários e comunistas, 56

III. Literatura socialista e comunista, 68

   1. O socialismo reacionário, 68

      a) O socialismo feudal, 68

      b) O socialismo pequeno-burguês, 70

      c) O socialismo alemão ou o "verdadeiro" socialismo, 72

   2. O socialismo conservador ou burguês, 76

   3. O socialismo e o comunismo crítico-utópicos, 77

IV. Posição dos comunistas diante dos diversos partidos de oposição, 81

Anexos

    I. *Princípios do comunismo,* Friedrich Engels, 87

    II. *Estatutos da Liga dos Comunistas,* 111

    III. *As reivindicações do Partido Comunista na Alemanha* (março, 1848), 118

    IV. *Para a história da Liga dos Comunistas,* Friedrich Engels, 121

Notas de rodapé, 147

Sobre a tradução

A presente tradução do *Manifesto do Partido Comunista* teve como base a edição alemã *Manifest der Kommunistischen Partei*, publicada em MARX/Karl & Friedrich/ENGELS, *Werke*. Berlim: Dietz Verlag, vol. IV. O trabalho foi completado e apurado, em boa medida decisivamente, por um minucioso cotejamento com as seguintes edições: as francesas (bilíngue) traduzidas por Michèle Kiintz (Paris: Editions Sociales, 1972) e por E. Bottigelli (Paris: Aubier-Montaigne, 1971); a tradução inglesa feita por Samuel Moore e corrigida por Engels em 1888, cf. publicada em MARX. *The Revolutions of 1848*. Org. David Fembach. Londres: Penguin Books/New Left Review, 1973; as traduções italianas de Palmiro Togliatti, incluída em *Opere Complete di Marx ed Engels*. Roma: Riuniti, 1973, vol. VI, e de Emma Cantimori Mezzomonti para Einaudi/Mondadori (Turim, 1978).

O mesmo procedimento foi adotado para a tradução dos três primeiros anexos. Já o texto de Engels, *Para a história da Liga dos Comunistas*, tomou como base para o cotejamento a mencionada tradução italiana de Emma C. Mezzomonti e a tradução castelhana incluída em *Obras escogidas*. Moscou: Progresso, 1976, tomo III.

A presente tradução, em seu conjunto, não tem a pretensão de ser uma edição crítica. Foram, no entanto, preservadas as notas de Marx e principalmente de Engels, bem como as variantes registradas nas diversas edições do *Manifesto* publicadas durante a vida de seus autores. Foram também acrescentadas algumas notas com informações históricas e biográficas. As primeiras, de Marx e Engels, estão indicadas por asterisco e as segundas por número. Algumas palavras alemãs originais, de tradução mais delicada, foram deixadas entre parênteses no corpo do texto.

A título de registro, é interessante observar que as diversas traduções brasileiras do *Manifesto* – a começar da primeira delas, feita por Otávio Brandão a partir do francês e publicada em 1924 em Porto Alegre – apresentaram sempre grande imprecisão, certamente derivada das condições em que foram elaboradas e da dinâmica partidária que as condicionava. Há, porém, pelo menos uma exceção: a bem-cuidada tradução de Eneida, preparada em 1945 (também a partir do francês) para a Editorial Calvino, do Rio de Janeiro. Mas a regra tem sido mesmo a falta de rigor e qualidade. Mais recentemente, em 1986, as Edições Novos Rumos, de São Paulo, publicaram uma bem-cuidada edição do texto, feita diretamente do alemão e do inglês. Trata-se, no entanto, basicamente da reprodução da correta tradução portuguesa de Álvaro Pina (Lisboa: Avante), na qual foram feitos apenas pequenos ajustes ortográficos e estilísticos. Nela, porém, há uma útil e detalhada notícia sobre "A trajetória do Manifesto do Partido Comunista no Brasil", preparada por Edgard Carone.

Quanto aos anexos aqui incluídos, pode-se dizer que os *Princípios do Comunismo*, de Engels, saíram como apêndice à edição do *Manifesto* feita em 1931 pelas Edições "Estudos Sociais", do Rio de Janeiro. Foram posteriormente publicados em folheto à parte (por exemplo, em 1946, pelas Edições Horizonte, do Rio de Janeiro). Mais recentemente, em tradução feita a partir do francês por José Paulo Netto e Maria Filomena Viegas, apareceram no volume *Engels* da coleção "Grandes Cientistas Sociais", da Editora Ática (org. José Paulo Netto, São Paulo, 1981, p. 82-99). Quanto aos *Estatutos da Liga dos Comunistas* e às *Reivindicações do Partido Comunista na Alemanha*, sabe-se que foram publicados como apêndice à supramencionada edição do *Manifesto* feita pela Editorial Calvino em 1945. O texto de Engels, *Para a história da Liga dos Comunistas*, por sua vez, foi publicado nas *Obras escolhidas* de Marx e Engels lançadas pela Vitória, do Rio de Janeiro, em 1956, e posteriormente reproduzido em MARX & ENGELS. *Textos*. São Paulo: Edições Sociais, 1976, vol. II, edição que é mera cópia fotográfica das *Obras* da Vitória.

Curiosamente, esses importantes anexos não têm merecido maior atenção dos estudiosos do marxismo e dos editores no Brasil dos últimos quinze ou vinte anos. Assim como é espantoso que até hoje jamais tenha sido ensaiada no Brasil uma tradução do *Manifesto* a partir do alemão. Trata-se de algo que revela muito de nossa cultura de esquerda e que dá à presente iniciativa um certo sabor de saudável pioneirismo.

M.A.N.

Prefácios

1
Prefácio à edição alemã de 1872

A Liga dos Comunistas, associação operária internacional que, nas circunstâncias então existentes, não podia evidentemente deixar de ser secreta, encarregou os abaixo-assinados, no congresso realizado em Londres em novembro de 1847, de redigir um detalhado programa prático e teórico do partido, destinado à publicidade. Assim nasceu o *Manifesto* que se segue, cujo manuscrito foi enviado a Londres, para ser impresso, algumas semanas antes da revolução de fevereiro[1]. Publicado primeiramente em alemão, teve pelo menos umas doze edições diferentes nesse idioma na Alemanha, na Inglaterra e na América. Traduzido por Miss Helen Macfarlane, apareceu pela primeira vez em inglês em 1850, no *Red Republican* de Londres[2], e em 1871 teve pelo menos outras três traduções diferentes na América. Em francês, apareceu em Paris pouco antes da insurreição de junho de 1848[3] e, mais recentemente, no *Le Socialiste* de Nova York[4]. Agora mesmo há uma outra tradução em preparo. Fez-se em Londres uma edição em polonês, pouco depois da primeira edição alemã. Uma tradução russa foi publicada em Genebra na década de 1860.

Foi também traduzido para o dinamarquês logo após sua primeira publicação[5].

Apesar de terem as condições mudado muito nos últimos vinte e cinco anos, os princípios gerais expostos nesse *Manifesto* conservam ainda hoje, em seu conjunto, toda a exatidão. Apenas alguns pontos deveriam ser aqui e ali retocados. O próprio *Manifesto* explica que a aplicação prática (*die praktische Anwendung*) desses princípios dependerá, sempre e em todos os lugares, das circunstâncias históricas existentes; por isso, não se deve atribuir nenhuma importância particular às medidas revolucionárias propostas no final do capítulo II. Atualmente, essa passagem seria redigida de maneira diferente em mais de um aspecto. Tendo em vista o imenso desenvolvimento da grande indústria nesses últimos vinte e cinco anos e, com ele, o progressivo desenvolvimento da organização da classe operária em partido; tendo em vista as experiências práticas, primeiro da revolução de fevereiro e depois, sobretudo, da Comuna de Paris[6], que pela primeira vez permitiu ao proletariado, durante dois meses, a posse do poder político, esse programa está agora envelhecido em alguns pontos. A Comuna, especialmente, demonstrou que "a classe operária não pode simplesmente se apoderar da máquina estatal já pronta e colocá-la em movimento para os seus próprios fins" (cf. *A Guerra Civil na França. Manifesto do Conselho Geral da Associação Internacional dos Trabalhadores*, de 1871, onde essa ideia está mais extensamente desenvolvida). Além disso, é evidente que a crítica da literatura socialista está hoje incompleta, pois interrompe-se em 1847; por sua vez, as observações feitas sobre a posição dos comunistas diante dos diferentes partidos de oposição (capítulo IV), embora ainda hoje exatas em seus traços gerais, envelheceram em sua aplicação (*Ausführung*), pois a situação política está totalmente mudada e o desenvolvimento histórico fez desaparecer a maior parte dos partidos ali enumerados.

Não obstante, o *Manifesto* é um documento histórico que não temos mais o direito de modificar. Uma edição posterior talvez seja precedida de uma introdução que preencha a lacuna existente entre 1847 e os nossos dias; a reimpressão atual foi inesperada demais para que tivéssemos tempo de escrevê-la.

Londres, 24 de junho de 1872.

Karl Marx
Friedrich Engels

2
Prefácio à edição russa de 1882[7]

A primeira edição russa do *Manifesto do Partido Comunista*, traduzido por Bakunin, apareceu em princípios da década de 1860 na tipografia do *Kolokol*. Naquele tempo, uma edição *russa* do *Manifesto* tinha para o Ocidente apenas a importância de uma curiosidade literária. Semelhante visão seria hoje impossível.

O quanto era reduzido o campo de ação do movimento proletário na época da elaboração do texto (dezembro de 1847), é demonstrado de modo claro no último capítulo do *Manifesto*: posição dos comunistas diante dos diversos partidos de oposição nos diversos países. A Rússia e os Estados Unidos, precisamente, não foram sequer mencionados. Aquele era o momento em que a Rússia constituía a última grande reserva de toda a reação europeia e em que a imigração para os Estados Unidos absorvia o excesso de forças do proletariado da Europa. Ambos esses países proviam a Europa de matérias-primas e eram, ao mesmo tempo, mercados para a venda de seus produtos industriais. Eram ambos, portanto, de uma maneira ou de outra, sustentáculos da ordem europeia existente.

Como tudo hoje está mudado! Exatamente a imigração europeia tornou possível o gigantesco desenvolvimento da agricultura na América do Norte, cuja concorrência está abalando os alicerces da grande e da pequena propriedade fundiária na Europa. Foi também essa imigração, ao mesmo tempo, que deu aos Estados Unidos a oportunidade de empreender a exploração de seus imensos recursos industriais, com uma energia e numa escala que, dentro em breve, acabarão com o monopólio industrial da Europa Ocidental, especialmente com o da Inglaterra. Essas duas circunstâncias, por sua vez, repercutem de maneira revolucionária sobre a própria América. Pouco a pouco, a pequena e a média propriedade fundiária dos granjeiros (*farmers*), base de todo o regime político norte-americano, sucumbem diante da concorrência das gigantescas fazendas, enquanto nas regiões industriais forma-se pela primeira vez um numeroso proletariado ao lado de uma fabulosa concentração de capitais.

Passemos à Rússia. Durante a revolução de 1848-1849, não só os monarcas europeus, mas também os burgueses europeus viam na intervenção russa a única salvação contra o proletariado que começava a despertar. O czar foi proclamado chefe da reação europeia. Hoje ele é, em Gátchina, prisioneiro de guerra da revolução[8], e a Rússia está na vanguarda da ação revolucionária na Europa.

O *Manifesto comunista* tinha como tarefa a proclamação do desaparecimento iminente e inevitável da moderna propriedade burguesa. Mas na Rússia vemos que, ao lado do vertiginoso florescimento da fraude capitalista e da propriedade territorial burguesa em vias de formação, mais da metade das terras é possuída em comum pelos camponeses. A pergunta, pois, agora é: poderá a *Obchtchina* russa[9] – forma por certo já muito deteriorada da antiga posse em comum da terra – passar diretamente a uma mais alta forma comunista de propriedade fundiária, ou deverá passar primeiro pelo mesmo processo de dissolução que encontra sua expressão no desenvolvimento histórico do Ocidente?

A única resposta que hoje se pode dar a essa questão é a seguinte: se a revolução russa tornar-se o sinal para a revolução proletária no Ocidente, de modo que uma complemente a outra, a atual propriedade em comum da terra na Rússia poderá servir de ponto de partida para uma evolução (*Entwicklung*) comunista.

Londres, 21 de janeiro de 1882.

Karl Marx
Friedrich Engels

3
Prefácio à edição alemã de 1883

Tenho de ser, infelizmente, o único a assinar o prefácio à presente edição. Marx, o homem a quem toda a classe operária da Europa e da América deve mais do que a qualquer outro, repousa agora no cemitério de Highgate, e sobre seu túmulo já cresce a primeira relva[10]. Depois de sua morte, não se pode mais pensar em refazer ou completar o *Manifesto*. Por isso, considero ainda mais necessário estabelecer explicitamente aqui, mais uma vez, o que segue:

A ideia fundamental que atravessa todo o *Manifesto* – a saber, que em cada época histórica a produção econômica e a estrutura social que dela necessariamente decorre constituem a base da história política e intelectual dessa época; que, consequentemente (desde a dissolução da antiga posse em comum da terra), toda a história tem sido uma história de lutas de classes, de lutas entre classes exploradas e classes exploradoras, entre classes dominadas e classes dominantes, nos diferentes estágios do desenvolvimento social; que essa luta, porém, atingiu atualmente um estágio em que a classe explorada e oprimida (o proletariado) não pode mais se libertar da classe exploradora e opressora (a burguesia) sem libertar ao mesmo tempo e para sempre toda a sociedade da exploração, da opressão e das lutas de classes

– essa ideia fundamental pertence única e exclusivamente a Marx*.

Já afirmei isso diversas vezes, mas exatamente agora é preciso que tal declaração também figure bem clara no frontispício do *Manifesto*.

Londres, 28 de junho de 1883.

Friedrich Engels

---

* *"Desta ideia – assim escrevi no prefácio à edição inglesa – que, na minha opinião, está destinada a estabelecer para a ciência histórica o mesmo progresso estabelecido pela teoria de Darwin para as ciências naturais, nós nos aproximáramos ambos os dois, pouco a pouco, alguns anos antes de 1845. Meu livro* A situação da classe operária na Inglaterra *revela até onde eu próprio avançara independentemente nessa direção. Mas quando reencontrei Marx em Bruxelas, na primavera de 1845, ele já a elaborara completamente e dela me fez uma exposição em termos quase tão claros quanto os que expressei aqui"* [Nota de Engels à edição alemã de 1890].

4
Prefácio à edição inglesa de 1888[11]

O *Manifesto* foi publicado como plataforma da Liga dos Comunistas, uma associação de trabalhadores no princípio exclusivamente alemã e mais tarde internacional, que, nas condições políticas do continente europeu anteriores a 1848, não podia deixar de ser uma sociedade secreta. Num congresso da Liga, realizado em Londres em novembro de 1847, Marx e Engels foram encarregados de preparar para publicação um completo programa prático e teórico do partido. Redigido em alemão em janeiro de 1848, o manuscrito foi enviado ao impressor, em Londres, algumas semanas antes da revolução francesa de 24 de fevereiro. Uma tradução francesa saiu em Paris pouco antes da insurreição de junho de 1848. A primeira tradução inglesa, de Miss Helen Macfarlane, apareceu no *Red Republican* de George Julian Harney, Londres, 1850. Foram também publicadas uma edição dinamarquesa e uma edição polonesa.

A derrota da insurreição parisiense de junho de 1848 – primeira grande batalha entre proletariado e burguesia – colocou novamente em segundo plano, por um momento, as aspirações sociais e políticas da classe operária europeia. A partir de então, a luta pela supremacia voltou a ser, como o fora antes da revolução de fevereiro, simplesmente uma luta entre diferentes setores da classe proprietária: a classe operária foi levada a limitar-se a uma luta pela conquista de espaços políticos e à posição de ala extrema dos radicais da classe média (*middle-class Radicais*). Onde quer que movimentos proletários independentes continuaram a dar sinais de vida, foram logo impiedosamente esmagados. Desta forma, a polícia prussiana descobriu o Comitê Central da Liga dos Comunistas, então sediado em Colônia. Seus membros foram presos e após dezoito meses de encarceramento foram julgados em outubro de 1852. O célebre "Processo comunista de Colônia" estendeu-se de 4 de outubro a 12 de novembro; sete dos prisioneiros foram condenados a penas que oscilavam entre três e seis anos de prisão em fortaleza[12]. Imediatamente após a sentença, a Liga foi formalmente dissolvida pelos membros remanescentes. Quanto ao *Manifesto*, parecia ficar, a partir de então, condenado ao esquecimento.

Quando a classe operária europeia recobrou forças suficientes para um novo ataque às classes dominantes, surgiu a Associação Internacional dos Trabalhadores[13]. Mas essa associação, formada com a finalidade expressa de unir numa única organização todo o proletariado militante da Europa e da América, não pôde proclamar de saída os princípios expostos no *Manifesto*. A Internacional foi obrigada a ter um programa amplo o bastante para ser aceito pelas *Trades Unions* inglesas, pelos seguidores de Proudhon na França, Bélgica, Itália e Espanha, e pelos lassalleanos* na Alemanha[14]. Marx, que redigiu esse programa de modo a satisfazer todos os partidos, confiava inteiramente no desenvol-

---

* *Lassalle pessoalmente, diante de nós, também se considerava um discípulo de Marx que, como tal, estava no terreno do* Manifesto. *Mas, em sua agitação pública de 1862-1864, não foi além da reivindicação de oficinas cooperativas sustentadas pelo crédito estatal* [Nota de Engels].

vimento intelectual da classe operária, que resultaria certamente da ação unitária (*combined action*) e da discussão mútua. Os acontecimentos e as vicissitudes da luta contra o capital, as derrotas ainda mais do que as vitórias, não poderiam deixar de fazer com que os homens tomassem consciência da insuficiência de suas panaceias favoritas e de abrir caminho para uma completa compreensão das verdadeiras condições da emancipação da classe operária. E Marx tinha razão. A Internacional, ao se dissolver em 1874, deixou os operários muito diferentes daqueles por ela encontrados em sua fundação, em 1864. O proudhonismo na França, o lassalleanismo na Alemanha, estavam desaparecendo, e até mesmo as conservadoras *Trades Unions* inglesas, cuja maioria havia se desligado da Internacional, aproximavam-se pouco a pouco do ponto em que seu presidente[15], no ano passado, em Swansea, pôde dizer em nome delas: "O socialismo continental deixou de nos aterrorizar". De fato: os princípios do *Manifesto* haviam feito progressos consideráveis entre os operários de todos os países.

Assim, o próprio *Manifesto* voltou novamente ao primeiro plano. Desde 1850 o texto alemão fora reeditado diversas vezes na Suíça, na Inglaterra e na América. Em 1872 foi traduzido para o inglês em Nova York, tendo sido publicado no *Woodhull and Claflin's Weekly*[16]. *Dest*a versão inglesa foi feita uma francesa, que surgiu no *Le Socialiste* de Nova York. Desde então, pelo menos mais duas traduções inglesas, mais ou menos mutiladas, apareceram na América, e uma delas foi reimpressa na Inglaterra. A primeira tradução russa, feita por Bakunin, foi publicada pela tipografia do *Kolokol*, de Herzen, em Genebra, por volta de 1863; uma segunda, da heroica Vera Zasúlich, igualmente em Genebra em 1882. Pode-se encontrar uma nova edição dinamarquesa na *Social-demokratisk Bibliotek*, Copenhague, 1885; uma nova tradução francesa no *Le Socia-*

liste, Paris, 1886. A partir desta última foi preparada e publicada uma versão espanhola em 1886, em Madri[17]. Perdeu-se a conta das edições alemãs; houve ao menos doze delas. Fui informado de que uma tradução armênia, que deveria ter sido publicada em Constantinopla há alguns meses, não veio à luz porque o editor teve medo de lançar um livro com o nome de Marx e o tradutor recusou-se a divulgá-la como obra sua. Já ouvi falar de outras traduções em outras línguas, embora não as tenha visto. Portanto, a história do *Manifesto* reflete em grande medida a história do movimento operário moderno; no presente é, sem dúvida, a obra mais difundida e mais internacional de toda a literatura socialista, o programa comum reconhecido por milhões de trabalhadores, da Sibéria à Califórnia.

No entanto, quando foi escrito, não podíamos chamá-lo de Manifesto *Socialista*. Por socialistas, em 1847, entendia-se, de um lado, os adeptos dos vários sistemas utópicos: os owenistas na Inglaterra e os fourieristas na França[18], ambos já reduzidos à condição de meras seitas em vias de desaparecimento gradual; de outro lado, os vários charlatões sociais (*Social quacks*) que por meio dos mais diversos truques pretendiam remediar, sem qualquer perigo para o capital e o lucro, todos os males sociais. Em ambos os casos, eram homens que estavam fora do movimento operário, buscando o apoio das classes "cultas". Todo o setor da classe operária que se convencera da insuficiência das revoluções meramente políticas e tinha proclamado a necessidade de uma completa mudança social denominava-se então *comunista*. Era um comunismo ainda grosseiro, mal-esboçado e puramente instintivo; mas tocou no ponto crucial da questão e foi bastante poderoso junto à classe operária para dar origem ao comunismo utópico de Cabet na França, e ao de Weitling na Alemanha[19]. Assim, em 1847, o socialismo era um movimento burguês (*a middle-class movement*), o comunismo um movimento operário. Ao menos no continente, o socialismo era "respeitável", o comunismo exatamente o oposto. E como nossa concepção, desde o início, era que "a emancipação da classe operária deve ser obra da própria classe operária"[20], não houve dúvida sobre qual dos dois nomes adotar. E mais: desde então, nunca pensamos em repudiá-lo.

Sendo o *Manifesto* nossa obra comum, considero-me obrigado a declarar que a proposição fundamental que forma seu núcleo pertence a Marx. Esta proposição é que, em toda época histórica, o modo de produção econômica e de troca predominante, e a organização social que dele necessariamente decorre, formam a base sobre a qual se ergue, e a partir da qual pode ser explicada, a história política e intelectual dessa época; que consequentemente (desde a dissolução da sociedade tribal primitiva que possuía em comum as terras) toda a história da humanidade tem sido uma história de lutas de classes, de conflitos entre classes exploradoras e exploradas, entre classes dominantes e oprimidas; que a história dessas lutas de classes forma uma série de evoluções a partir das quais atingiu-se hoje um estágio em que a classe oprimida e explorada – o proletariado – não pode alcançar sua emancipação do controle (*sway*) da classe dominante e exploradora – a burguesia – sem libertar, ao mesmo tempo e para sempre, toda a sociedade da exploração, da opressão, das distinções de classes e das lutas de classes.

Dessa proposição que, na minha opinião, está destinada a fazer pela história o mesmo que a teoria de Darwin fez pela biologia[21], nós nos aproximáramos am-

---

* The Condition of the Working Class in England in 1844. *By Frederick Engels. Translated by Florence K. Wischnewetzky, New York, Lovell-London, W. Reeves, 1888* [Nota de Engels].

bos os dois, pouco a pouco, alguns anos antes de 1845. Meu livro *A situação da classe operária na Inglaterra** revela até onde eu próprio avançara independentemente nessa direção. Mas quando reencontrei Marx em Bruxelas, na primavera de 1845, ele já a elaborara completamente e dela me fez uma exposição em termos quase tão claros quanto os que expressei aqui.

Do nosso prefácio comum à edição alemã de 1872 cito a seguinte passagem:

"Apesar de terem as condições mudado muito nos últimos vinte e cinco anos, os princípios gerais expostos neste *Manifesto* conservam ainda hoje, em seu conjunto, toda a exatidão. Apenas alguns pontos deveriam ser aqui e ali retocados. O próprio *Manifesto* explica que a aplicação prática destes princípios dependerá, sempre e em todos os lugares, das circunstâncias históricas existentes; por isso, não se deve atribuir nenhuma importância particular às medidas revolucionárias propostas no final do capítulo II. Atualmente, essa passagem seria redigida de maneira diferente em mais de um aspecto. Tendo em vista o desenvolvimento colossal da grande indústria nestes últimos vinte e cinco anos e, com ele, o progressivo desenvolvimento da organização da classe operária em partido; tendo em vista as experiências práticas, primeiro da revolução de fevereiro e depois, sobretudo, da Comuna de Paris, que pela primeira vez permitiu ao proletariado, durante dois meses, a posse do poder político, esse programa está agora envelhecido em alguns pontos. A Comuna, especialmente, demonstrou que "a classe operária não pode simplesmente se apoderar da máquina estatal já pronta e colocá-la em movimento para os seus próprios fins" (cf. *A Guerra Civil na França. Manifesto do Conselho Geral da Associação Internacional dos Trabalhadores*, de 1871, onde essa ideia está mais extensamente desenvolvida). Além disso, é evidente que a crítica da literatura socialista está hoje incompleta, pois interrompe-se em 1847; por sua vez, as observações feitas sobre a posição dos comunistas diante dos diferentes partidos de oposição (cap. IV), embora ainda hoje exatas em seus traços gerais, envelheceram em sua aplicação, porque a situação política está completamente mudada e a evolução histórica fez desaparecer a maior parte dos partidos ali enumerados.

Não obstante, o *Manifesto* é um documento histórico que não temos mais o direito de modificar."

A presente tradução é do Sr. Samuel Moore, o tradutor da maior parte de *O capital* de Marx. Fizemos juntos a revisão e acrescentei algumas notas para explicar certas alusões históricas.

Londres, 30 de janeiro de 1888.

Friedrich Engels

5
Prefácio à edição alemã de 1890

Depois de escrito o que precede[22], tornou-se necessária uma nova edição alemã do *Manifesto*; e tantas coisas também aconteceram com o *Manifesto* que devem ser aqui mencionadas.

Uma segunda tradução russa – feita por Vera Zasúlich – apareceu em Genebra em 1882; Marx e eu redigimos o prefácio. Infelizmente, perdeu-se o manuscrito alemão original e devo portanto retraduzir do russo, com o que o trabalho nada ganhará[23].

Uma nova tradução polonesa apareceu na mesma época em Genebra: *Manifest Kommunistyczny*[24].

Pouco depois apareceu uma nova tradução dinamarquesa na *Social-demokratisk Bibliotek*, Copenhague, 1885. Infelizmente, não está de todo completa; foram omitidas algumas passagens essenciais, que parecem ter causado dificuldades ao tradutor, e podem também ser notados aqui e ali alguns traços de negligência, que se tornam ainda mais desagradáveis quando, de todo o trabalho, vê-se que o tradutor poderia ter feito algo excelente se tivesse tido um pouco mais de cuidado.

Em 1886 apareceu uma nova tradução francesa no *Le Socialiste* de Paris; esta é a melhor das publicadas até agora.

Dela foi feita uma tradução espanhola publicada no mesmo ano, primeiro no *El Socialista* de Madri, e depois como opúsculo: *Manifiesto del*

Partido Comunista, por Carlos Marx y F. Engels, Madri, Administración de El Socialista, Hernán Cortês, 8[25].

Como curiosidade, recordarei que em 1887 o manuscrito de uma tradução armênia foi oferecido a um editor de Constantinopla; o bravo homem porém não teve a coragem de imprimir algo que portasse o nome de Marx e sugeriu que o próprio tradutor se declarasse como autor, o que ele se recusou a fazer.

Após as múltiplas reimpressões feitas na Inglaterra de uma ou outra das traduções americanas mais ou menos inexatas, uma tradução autêntica finalmente apareceu em 1888. Ela se deve a meu amigo Samuel Moore e antes da impressão eu e ele a revisamos juntos. O título é: *Manifesto of the Communist Party*, by Karl Marx and Frederick Engels, Authorized English Translation, edited and annotated by Frederick Engels, 1888, London, William Reeves, 185, Fleet Street, E.C. Reproduzi na presente edição algumas das notas desta tradução inglesa.

O *Manifesto* teve uma carreira própria. Saudado entusiasticamente, no momento de sua publicação, pela vanguarda então pouco numerosa do socialismo científico (como demonstram as traduções mencionadas no primeiro prefácio), foi logo relegado a segundo plano pela reação que se seguiu à derrota dos operários parisienses em junho de 1848, e finalmente proscrito "pela lei" com a condenação dos comunistas de Colônia em novembro de 1852. Com o desaparecimento da cena pública do movimento operário que começara com a revolução de fevereiro, também o *Manifesto* passou a segundo plano.

Quando a classe operária europeia recuperou as forças suficientes para um novo assalto contra o poderio (*die Macht*) das classes dominantes, nasceu a Associação Internacional dos Trabalhadores. Tinha esta por objetivo englobar num *único* e imenso exército toda a classe operária combativa da Europa e da América. Não podia, portanto, *partir* dos princípios estabelecidos no *Manifesto*. Devia ter um programa que não fechasse a porta às *Trades Unions* inglesas, aos proudhonianos franceses, belgas, italianos e espanhóis, aos lassalleanos alemães*. Este programa – os "considerando" (*die Erwägungsgründe*) dos estatutos da Internacional – foi redigido por Marx com uma maestria reconhecida até mesmo por Bakunin e pelos anarquistas. Para a vitória definitiva das proposições apresentadas no *Manifesto*, Marx confiava unicamente no desenvolvimento intelectual da classe operária, que deveria necessariamente resultar da ação unitária e da discussão. Os acontecimentos e as vicissitudes da luta contra o capital, as derrotas ainda mais do que as vitórias, não podiam deixar de mostrar aos combatentes a insuficiência das panaceias em que até então acreditavam e de torná-los mais acessíveis a uma compreensão profunda das verdadeiras condições da emancipação operária. E Marx tinha razão. A classe operária de 1874, no momento da dissolução da Internacional, era bem diferente da de 1864, no momento de sua fundação. O proudhonismo nos países latinos e o lassalleanismo específico da Alemanha estavam agonizando, e mesmo as *Trades Unions* inglesas, então ultraconservadoras, aproximavam-se pouco a pouco do momento em que, em 1887, o presidente de seu congresso em Swansea iria poder dizer em nome delas: "O socialismo continental deixou de nos aterrorizar". Mas já em 1887 o socialismo

---

* *Lassalle, pessoalmente, declarava-se sempre, diante de nós, "discípulo"* (Schüler) *de Marx e, como tal, colocava-se evidentemente no terreno do* Manifesto. *Já o mesmo não acontecia com aqueles seus partidários que não foram além de seu programa de cooperativas de produção com crédito do Estado e que dividiram toda a classe operária em operários que contam com auxílios do Estado e operários que só contam consigo próprios* [Nota de Engels].

continental era quase que exclusivamente a teoria formulada no *Manifesto*. Portanto, até certo ponto, a história do *Manifesto* reflete a história do movimento operário moderno a partir de 1848. Atualmente é, sem dúvida, a obra mais difundida e mais internacional de toda a literatura socialista, o programa comum de milhões de operários de todos os países, da Sibéria à Califórnia.

No entanto, quando apareceu, não podíamos intitulá-lo Manifesto *socialista*. Por socialistas, em 1847, entendiam-se dois tipos de pessoas. De um lado, os seguidores dos diferentes sistemas utópicos, principalmente os owenistas na Inglaterra e os fourieristas na França, ambos já então reduzidos a meras seitas que se extinguiam pouco a pouco. De outro lado, os diversos charlatões sociais (*sozialen Quacksalber*) que queriam, com suas panaceias variadas e com todas as espécies de cataplasmas, eliminar os males sociais sem tocar no capital e no lucro. Em ambos os casos, pessoas que estavam fora do movimento operário e buscavam bem mais o apoio das classes "cultas". Em contraposição, aquela parte dos operários que, convencida da insuficiência das revoluções puramente políticas, exigia uma transformação a fundo da sociedade, chamava-se então *comunista*. Era um comunismo apenas esboçado, puramente instintivo e por vezes grosseiro; mas já era suficientemente poderoso para produzir dois sistemas de comunismo utópico – na França o "icariano" de Cabet e na Alemanha o de Weitling. Em 1847 socialismo significava um movimento burguês (*eine Bourgeoisbewegung*), comunismo um movimento operário. O socialismo, ao menos no continente, era aceito na alta sociedade, o comunismo exatamente o contrário. E como achávamos, desde então, sem a menor dúvida, que "a emancipação dos trabalhadores deve ser obra da própria classe trabalhadora", não podíamos hesitar um só instante sobre qual dos dois nomes escolher. Posteriormente, nunca pensamos em rejeitá-lo[26].

"Proletários de todos os países, uni-vos!" Somente algumas vozes responderam quando lançamos estas palavras ao mundo, há quarenta e dois anos, à véspera da primeira revolução parisiense, na qual o proletariado avançou suas próprias reivindicações. Entretanto, a 28 de setembro de 1864, proletários da maior parte dos países da Europa Ocidental reuniram-se na Associação Internacional dos Trabalhadores, de gloriosa memória. A Internacional viveu apenas nove anos. Mas justamente o dia de hoje é o melhor testemunho do fato de que a aliança eterna dos proletários de todos os países fundada pela Internacional vive ainda, e está mais poderosa do que nunca. No momento em que escrevo estas linhas, o proletariado europeu e americano passa em revista as suas forças, mobilizadas pela primeira vez *num único* exército, sob *uma única* bandeira e por *um único* objetivo imediato: a fixação legal da jornada normal de oito horas de trabalho, proclamada já em 1866 pelo Congresso da Internacional reunido em Genebra, e de novo pelo Congresso Operário de Paris em 1889. O espetáculo do dia de hoje mostrará aos capitalistas e aos proprietários fundiários de todos os países que os proletários de todos os países estão efetivamente unidos[27].

Ah! estivesse Marx a meu lado para ver isso com seus próprios olhos!

Londres, 1º de maio de 1890.

Friedrich Engels

6
Prefácio à edição polonesa de 1892

O fato de uma nova edição polonesa do *Manifesto Comunista* ter-se tornado necessária dá lugar a diversas considerações[28].

Observe-se acima de tudo que o *Manifesto* tornou-se de certo modo um indicador do desenvolvimento da grande indústria no continente europeu. Na medida em que se estende num país a grande indústria, cresce ao mesmo tempo entre os operários deste país o desejo de serem esclarecidos sobre sua posição como classe operária perante as classes possuidoras, difunde-se entre eles o movimento socialista e aumenta a procura do *Manifesto*. Neste sentido, pode-se avaliar em cada país, com uma certa precisão, não só o estado do movimento operário mas também o grau de desenvolvimento da grande indústria, com base no número de exemplares do *Manifesto* difundidos na língua nacional.

Deste ponto de vista, a nova edição polonesa indica um firme progresso da indústria polonesa. Não deve haver nenhuma dúvida a respeito da realidade deste progresso ao longo dos dez anos que nos separam da última edição. A Polônia russa, a Polônia do Congresso[29], tornou-se o grande distrito industrial do Império Russo. Enquanto a grande indústria russa é espalhada esporadicamente – uma parte nas costas do Golfo da Finlândia, uma parte no centro (Moscou e Vladimir), uma terceira pelas costas do Mar Negro e do Mar de Azov, e o restante espalhado por outros lugares –, a indústria polonesa está concentrada num espaço relativamente limitado e usufrui as vantagens e os inconvenientes desta concentração. As vantagens são reconhecidas pelos fabricantes (*Fabrikanten*) russos concorrentes, quando pedem tarifas protecionistas contra a Polônia, apesar de seu ardente desejo de transformar os poloneses em russos. Os inconvenientes – que afetam por igual os fabricantes poloneses e o governo russo – manifestam-se na rápida difusão das ideias socialistas entre os operários poloneses e na crescente procura do *Manifesto*.

Mas o rápido desenvolvimento da indústria polonesa, que superou o da russa, é uma nova prova da indestrutível força vital do povo polonês e uma nova garantia de sua iminente restauração nacional. A criação de uma Polônia forte e independente não interessa, porém, apenas aos poloneses, mas a todos nós. Uma sincera colaboração internacional entre as nações europeias apenas é possível se cada uma delas for plenamente autônoma em sua própria casa. As revoluções de 1848, que sob a bandeira proletária somente levaram os combatentes proletários a fazer o trabalho da burguesia, acabaram por impor, através de seus executores testamentários – Luís Bonaparte e Bismarck[30] –, a independência da Itália, da Alemanha e da Hungria; mas a Polônia, que depois de 1792 fez pela revolução mais do que esses três países juntos, foi abandonada a si própria quando, em 1863, sucumbiu às forças russas dez vezes superiores[31]. A nobreza não foi capaz nem de conservar nem de reconquistar a independência polonesa; à burguesia ela é hoje pelo menos indiferente. No entanto, tal independência é uma necessidade para a harmoniosa colaboração entre as nações europeias. Ela só poderá ser conquistada pelo jovem proletariado polonês, e em suas mãos estará bem-garantida. Os operários de toda a Europa têm tanta necessidade da independência da Polônia quanto os próprios operários poloneses.

Londres, 10 de fevereiro de 1892.

Friedrich Engels

7
Prefácio à edição italiana de 1893

Ao leitor italiano[32]

A publicação do *Manifesto do Partido Comunista* coincidiu, pode-se dizer, com a jornada de 18 de março de 1848, com as revoluções de Milão e Berlim, que foram o levante das duas nações situadas no centro, uma do continente e outra do Mediterrâneo; duas nações até então enfraquecidas pela divisão e pelas disputas internas, e que por isso haviam caído sob o domínio estrangeiro. Do mesmo modo que a Itália estava sujeita ao imperador da Áustria, a Alemanha sofria o jugo indireto mas não menos efetivo do czar de todas as Rússias. As consequências do 18 de março de 1848 libertaram a Itália e a Alemanha dessa vergonha; se depois, entre 1848 e 1871, essas duas grandes nações foram reconstituídas e de certo modo devolvidas a si próprias, isso se deveu, como dizia Karl Marx, ao fato de que os mesmos homens que haviam abatido a revolução de 1848 converteram-se, malgrado eles mesmos, em seus executores testamentários.

A revolução de 1848 foi em todas as partes obra da classe operária; foi ela que levantou as barricadas e pagou com a vida. Contudo, apenas os operários de Paris tinham a firme e decidida intenção de, derrubando o governo, derrubar todo o regime burguês. No entanto, embora tivessem uma consciência muito clara do antagonismo irredutível que existia entre a sua própria classe e a burguesia, nem o progresso econômico do país, nem o desenvolvimento intelectual das massas operárias francesas, haviam alcançado ainda o nível que teria tornado possível uma reconstrução social. Em última análise, portanto, os frutos da revolução foram colhidos pela classe capitalista. Nos outros países, na Itália, na Alemanha, na Áustria, os operários nada mais fizeram, desde o princípio, do que ajudar a burguesia a chegar ao poder. Mas em nenhum país o domínio da burguesia é possível sem a independência nacional. Daí a revolução de 1848 ter levado inevitavelmente à unidade e à autonomia das nações que até então não as tinham desfrutado: a Itália, a Hungria, a Alemanha. A Polônia as seguirá no seu tempo.

Assim, embora não tenha sido uma revolução socialista, a revolução de 1848 abriu caminho, preparou o terreno para ela. Com o impulso dado em todos os países à grande indústria, o regime burguês tem criado por toda parte, nos últimos quarenta e cinco anos, um proletariado numeroso, concentrado e poderoso; tem produzido, pois, para usar a linguagem do *Manifesto*, seus próprios coveiros. Sem a autonomia e a unidade restituídas a cada uma das nações europeias seria impossível alcançar seja a união internacional do proletariado, seja a cooperação pacífica e inteligente dessas nações para fins comuns. Imaginai, se puderdes, uma ação internacional comum dos operários italianos, húngaros, alemães, poloneses, russos, nas condições políticas anteriores a 1848!

As batalhas de 1848 não foram, pois, travadas em vão; nem tampouco passaram em vão os quarenta e cinco anos que nos separam daquela época revolucionária. Os frutos começam a amadurecer, e tudo o que desejo é que a publicação dessa tradução italiana do *Manifesto* seja de bom augúrio para a vitória do proletariado italiano, tanto quanto a publicação do original o foi para a revolução internacional.

O *Manifesto* rende plena justiça à ação revolucionária do capitalismo no passado. A Itália foi a primeira nação capitalista. O fim da Idade Média feudal e o início da era capitalista moderna são marcados por uma figura gigantesca: a de um italiano, Dante, que foi ao mesmo tempo o último poeta da Idade Média e o primeiro poeta moderno. Hoje, como em 1300, uma nova era histórica se avizinha. Dará a Itália ao mundo um novo Dante, capaz de assinalar o nascimento dessa nova era, a era proletária?

Londres, 1º de fevereiro de 1893.

Friedrich Engels

Manifesto do
Partido Comunista

Um espectro ronda a Europa – o espectro do comunismo. Todas as potências da velha Europa uniram-se numa santa caçada a esse espectro: o papa e o czar, Metternich e Guizot, radicais franceses e policiais alemães[33].

Qual partido de oposição não foi acusado de comunista por seus adversários no poder? Qual partido de oposição, por sua vez, não lançou contra os elementos mais avançados da oposição e contra os seus adversários reacionários a pecha infamante de comunismo?

Duas conclusões decorrem desse fato.

O comunismo já é reconhecido como potência por todas as potências europeias.

Já é tempo de os comunistas exporem abertamente, ao mundo inteiro, seu modo de ver, seus objetivos, suas tendências, opondo à lenda do espectro do comunismo um manifesto do próprio partido.

Com este fim, comunistas de várias nacionalidades reuniram-se em Londres e esboçaram o manifesto que se segue, a ser publicado em inglês, francês, alemão, italiano, flamengo e dinamarquês[34].

I
Burgueses e proletários*

A história de toda sociedade até hoje** é a história de lutas de classes.

---

* *Por burguesia entende-se a classe dos capitalistas modernos, que são proprietários dos meios de produção social e empregam trabalho assalariado. Por proletariado, a classe dos trabalhadores assalariados modernos, que, não tendo meios de produção próprios, são obrigados a vender sua força de trabalho para sobreviver* [Nota de Engels à edição inglesa de 1888].

** *Isto é, toda a história* escrita. *A pré-história, a organização social anterior à história escrita, era quase desconhecida em 1847. Mais tarde, Haxthausen* (August Haxthausen (1792-1868), barão prussiano e conselheiro governamental, autor de numerosos livros de economia), *descobriu a propriedade comum da terra na Rússia; Maurer* (Georg Ludwig von Maurer (1790-1872), historiador alemão, investigador do regime social da Alemanha antiga e medieval), *"mostrou ter sido essa a base social da qual as tribos teutônicas derivaram historicamente e, pouco a pouco, verificou-se que a comunidade rural era a forma primitiva da sociedade, da Índia à Irlanda. A organização interna dessa sociedade comunista primitiva foi desvendada, em sua forma típica, pela descoberta decisiva de Morgan"* (Lewis Henry Morgan (1818-1881), etnógrafo, arqueólogo e historiador norte-americano, autor de importantes estudos sobre o desenvolvimento da gens como forma principal da comunidade primitiva), *que revelou a verdadeira natureza da* gens *e a sua relação com a tribo. Com a dissolução dessas comunidades primitivas, a sociedade começou a se dividir em classes diferentes e finalmente antagônicas. Procurei retratar esse processo de dissolução na obra* Der Ursprung der Familie, des Privateigentums und des Staats (A origem da família, da propriedade privada e do estado). 2. ed. Stuttgart, 1886 [Nota de Engels à edição inglesa de 1888][35].

Homem livre e escravo, patrício e plebeu, barão e servo, mestres* e companheiros, numa palavra, opressores e oprimidos, sempre estiveram em constante oposição uns aos outros, envolvidos numa luta ininterrupta, ora disfarçada, ora aberta, que terminou sempre ou com uma transformação (*Umgestaltung*) revolucionária de toda a sociedade, ou com o declínio comum das classes em luta.

Nas épocas anteriores da história encontramos quase por toda parte uma completa estruturação da sociedade em diversas ordens (*Stände*), uma múltipla gradação das posições sociais. Na Roma Antiga temos patrícios, guerreiros, plebeus, escravos; na Idade Média, senhores feudais, vassalos, mestres, companheiros, aprendizes, servos; e, em quase todas essas classes (*Klassen*), outras gradações particulares.

A moderna sociedade burguesa, surgida das ruínas da sociedade feudal, não eliminou os antagonismos entre as classes. Apenas estabeleceu novas classes, novas condições de opressão, novas formas de luta em lugar das antigas.

A nossa época, a época da burguesia, caracteriza-se, entretanto, por ter simplificado os antagonismos de classe. A sociedade inteira vai-se dividindo cada vez mais em dois grandes campos inimigos, em duas grandes classes diretamente opostas entre si: burguesia e proletariado.

Dos servos da Idade Média nasceram os moradores dos burgos (*Pfahlbürger*) das primeiras cidades; deles saíram os primeiros elementos da burguesia (*Bourgeoisie*).

A descoberta da América, a circunavegação da África, abriram um novo campo de ação à burguesia nascente. Os mercados das Índias Orientais e da China,

---

* Zunftbürger (Guild-master): *isto é, membro de uma corporação com todos os direitos, mestre da mesma, e não seu dirigente* [Nota de Engels à edição inglesa de 1888].

a colonização da América, o intercâmbio com as colônias, o aumento dos meios de troca e das mercadorias em geral deram ao comércio, à navegação, à indústria, um impulso jamais conhecido antes e, em consequência, favoreceram o rápido desenvolvimento do elemento revolucionário na sociedade feudal em decomposição.

O modo de exploração feudal ou corporativo da indústria existente até então não mais atendia às necessidades que aumentavam com o crescimento dos novos mercados. A manufatura tomou o seu lugar. Os mestres-artesãos (*Zunftmeister*) foram suplantados pelo estamento médio industrial; a divisão do trabalho entre as diversas corporações desapareceu diante da divisão do trabalho dentro de cada oficina.

Mas os mercados continuavam a crescer e continuavam a aumentar as necessidades. A própria manufatura tornou-se insuficiente. Em consequência, o vapor e a maquinaria revolucionaram a produção industrial. O lugar da manufatura foi ocupado pela grande indústria moderna; o estamento médio industrial cedeu o lugar aos industriais milionários, aos chefes de exércitos industriais inteiros, aos burgueses modernos.

A grande indústria criou o mercado mundial, para o qual a descoberta da América preparou o terreno. O mercado mundial deu um imenso desenvolvimento ao comércio, à navegação, às comunicações por terra. Esse desenvolvimento, por sua vez, reagiu sobre a extensão da indústria; e na proporção em que a indústria, o comércio, a navegação, as ferrovias se estendiam, a burguesia também se desenvolvia, aumentava seus capitais e colocava num plano secundário todas as classes legadas pela Idade Média.

Vemos, portanto, como a própria burguesia moderna é o produto de um longo processo de desenvolvimento, de uma série de revoluções (*Umwälzungen*) nos modos de produção e de troca.

Cada uma dessas etapas de desenvolvimento da burguesia foi acompanhada por um progresso político correspondente. Estamento (*Stand*) oprimido sob o domínio dos senhores feudais, associações armadas e autônomas na comuna*, aqui república urbana independente, ali terceiro estado tributário da monarquia**, depois, no período manufatureiro, contrapeso da nobreza na monarquia corporativa (*ständischen*) ou absoluta e, em geral, principal fundamento das grandes monarquias, a burguesia, com o estabelecimento da grande indústria e do mercado mundial, conquistou finalmente o domínio político exclusivo no Estado representativo moderno. O poder político do Estado moderno nada mais é do que um comitê (*Ausschuss*) para administrar os negócios comuns de toda a classe burguesa.

A burguesia desempenhou na história um papel extremamente revolucionário.

Onde quer que tenha chegado ao poder, a burguesia destruiu todas as relações feudais, patriarcais, idílicas. Dilacerou impiedosamente os variegados laços feudais que ligavam o ser humano a seus superiores naturais, e não deixou subsistir entre homem e homem outro vínculo que não o interesse nu e cru (*das nackte*

---

* *"Comunas" chamavam-se as cidades nascentes na França, antes mesmo de terem arrancado de seus amos e senhores feudais a autonomia local e os direitos políticos como "terceiro estado". De modo geral, tomou-se aqui a Inglaterra como país típico do desenvolvimento econômico da burguesia, e a França como país típico de seu desenvolvimento político* [Nota de Engels à edição inglesa de 1888]. *Esse era o nome dado pelos habitantes das cidades da Itália e da França às suas comunidades urbanas, após terem comprado ou arrancado de seus senhores feudais os primeiros direitos a uma administração autônoma.* [Nota de Engels à edição alemã de 1890.]

** [1888: *após as palavras "república urbana independente", Engels acrescentou "(como na Itália e na Alemanha)", e após as palavras "terceiro estado tributário da monarquia" as palavras "(como na França)".*]

Interesse), o insensível "pagamento em dinheiro". Afogou nas águas gélidas do cálculo egoísta os sagrados frêmitos da exaltação religiosa, do entusiasmo cavalheiresco, do sentimentalismo pequeno-burguês. Fez da dignidade pessoal um simples valor de troca e no lugar das inúmeras liberdades já reconhecidas e duramente conquistadas colocou *unicamente* a liberdade de comércio sem escrúpulos. Numa palavra, no lugar da exploração mascarada por ilusões políticas e religiosas colocou a exploração aberta, despudorada, direta e árida.

A burguesia despojou de sua auréola todas as atividades até então consideradas dignas de veneração e respeito. Transformou em seus trabalhadores assalariados o médico, o jurista, o padre, o poeta, o homem de ciência.

A burguesia rasgou o véu de comovente sentimentalismo que envolvia as relações familiares e as reduziu a meras relações monetárias.

A burguesia revelou como a brutal manifestação de força que a reação tanto admira na Idade Média encontrava seu complemento apropriado na mais desleixada indolência. Foi a primeira a mostrar o que pode realizar a atividade humana. Criou maravilhas que nada têm a ver com as pirâmides do Egito, os aquedutos romanos e as catedrais góticas; realizou expedições muito diversas das migrações dos povos e das Cruzadas.

A burguesia não pode existir sem revolucionar continuamente os instrumentos de produção e, por conseguinte, as relações de produção, portanto todo o conjunto das relações sociais. A conservação inalterada do antigo modo de produção era, ao contrário, a primeira condição de existência de todas as classes industriais anteriores. O contínuo revolucionamento (*Umwälzung*) da produção, o abalo constante de todas as condições sociais, a incerteza e a agitação eternas distinguem a época burguesa de todas as precedentes. Todas as relações fixas e cristalizadas, com seu séquito de crenças e opiniões tornadas veneráveis pelo tempo, são dissolvidas, e as novas envelhecem antes mesmo de se consolidarem. Tudo o que é sólido e estável se volatiliza, tudo o que é sagrado é profanado, e os homens são finalmente obrigados a encarar com sobriedade e sem ilusões sua posição na vida, suas relações recíprocas.

A necessidade de mercados cada vez mais extensos para seus produtos impele a burguesia para todo o globo terrestre. Ela deve estabelecer-se em toda parte, instalar-se em toda parte, criar vínculos em toda parte.

Através da exploração do mercado mundial, a burguesia deu um caráter cosmopolita à produção e ao consumo de todos os países. Para grande pesar dos reacionários, retirou debaixo dos pés da indústria o terreno nacional. As antigas indústrias nacionais foram destruídas e continuam a ser destruídas a cada dia. São suplantadas por novas indústrias, cuja introdução se torna uma questão de vida ou morte para todas as nações civilizadas – indústrias que não mais empregam matérias-primas locais, mas matérias-primas provenientes das mais remotas regiões, e cujos produtos são consumidos não somente no próprio país, mas em todas as partes do mundo. Em lugar das velhas necessidades, satisfeitas pela produção nacional, surgem necessidades novas, que para serem satisfeitas exigem os produtos das terras e dos climas mais distantes. Em lugar da antiga autossuficiência e do antigo isolamento local e nacional, desenvolve-se em todas as direções um intercâmbio universal, uma universal interdependência das nações. E isso tanto na produção material quanto na intelectual. Os produtos intelectuais (*die geistigen Erzeugnisse*) de cada nação tornam-se patrimônio comum. A unilateralidade e a estreiteza nacionais tornam-se cada vez mais impossíveis, e das numerosas literaturas nacionais e locais forma-se uma literatura mundial.

Com o rápido aperfeiçoamento de todos os instrumentos de produção, com as comunicações imensamente facilitadas, a burguesia arrasta para a civilização todas as nações, até mesmo as mais bárbaras. Os baixos preços de suas mercadorias são a artilharia pesada com que derruba todas as muralhas chinesas, com que força à capitulação o mais obstinado ódio dos bárbaros aos estrangeiros. Obriga todas as nações, sob pena de extinção, a adotarem o modo de produção da burguesia; obriga-as a ingressarem no que ela chama de civilização, isto é, a se tornarem burguesas. Numa palavra, cria um mundo à sua imagem e semelhança.

A burguesia submeteu o campo ao domínio da cidade. Criou cidades enormes, aumentou imensamente a população urbana em relação à rural e arrancou assim uma parte considerável da população do idiotismo da vida rural. Assim como subordinou o campo à cidade, subordinou os países bárbaros e semibárbaros aos países civilizados, os povos camponeses aos povos burgueses, o Oriente ao Ocidente.

A burguesia suprime cada vez mais a dispersão dos meios de produção, da propriedade e da população. Aglomerou a população, centralizou os meios de produção e concentrou a propriedade em poucas mãos. A consequência necessária disso foi a centralização política. Províncias independentes, ligadas entre si quase que só por laços confederativos, com interesses, leis, governos e tarifas aduaneiras (*Zöllen*) diferentes, foram reunidas em *uma só* nação, com *um só* governo, *uma só* legislação, *um só* interesse nacional de classe, *uma só* barreira alfandegária.

Em seu domínio de classe de apenas cem anos, a burguesia criou forças produtivas mais poderosas e colossais do que todas as gerações passadas em conjunto. Subjugação das forças da natureza, maquinaria, aplicação da química na indústria e na agricultura, navegação a vapor, ferrovias, telégrafo elétrico, arroteamento de continentes inteiros, navegabilidade dos rios, populações inteiras brotadas do solo como que por encanto – qual século anterior poderia suspeitar que semelhantes forças produtivas estivessem adormecidas no seio do trabalho social?

Vimos, portanto, que os meios de produção e de troca à base dos quais veio se constituindo a burguesia foram produzidos no interior da sociedade feudal. Num certo estágio de desenvolvimento desses meios de produção e de troca, as condições nas quais a sociedade feudal produzia e trocava, quer dizer, a organização feudal da agricultura e da manufatura, numa palavra, as relações feudais de propriedade, deixaram de corresponder às forças produtivas já desenvolvidas. Travavam a produção ao invés de impulsioná-la. Transformaram-se em outras tantas cadeias. Precisavam ser despedaçadas e foram despedaçadas.

Em seu lugar implantou-se a livre concorrência, com uma constituição política e social apropriada, com o domínio econômico e político da classe burguesa.

Assistimos hoje a um movimento análogo. As relações burguesas de produção e de troca, as relações burguesas de propriedade, a moderna sociedade burguesa, que fez surgir como que por encanto possantes meios de produção e de troca, assemelha-se ao feiticeiro (*Hexenmeister*) que já não pode controlar as potências infernais por ele postas em movimento. Há mais de uma década a história da indústria e do comércio não é senão a história da revolta das forças produtivas modernas contra as modernas relações de produção, contra as relações de propriedade que são a condição de existência da burguesia e de seu domínio. Basta mencionar as crises comerciais que, com seu periódico retorno, põem em questão e ameaçam cada vez mais a existência de toda a sociedade burguesa. Nas crises comerciais é destruída regularmente uma grande parte não só dos produtos fabricados, como também das forças produtivas já criadas. Nessas crises, irrompe uma epidemia social que em épocas precedentes teria parecido um absurdo – a epidemia da superprodução. A sociedade vê-se repentinamente reconduzida a um estado de barbárie momentânea; é como se uma situação de miséria (*eine Hungersnot*) ou uma guerra geral de extermínio houvessem suprimido todos os meios de subsistência; o comércio e a indústria parecem aniquilados, e por quê? Porque a sociedade possui demasiada civilização, demasiados meios de subsistência, demasiada indústria, demasiado comércio. As forças produtivas disponíveis já não favorecem mais o desenvolvimento da civilização burguesa e* das relações burguesas de propriedade; ao contrário, tornaram-se poderosas demais para essas relações e passam a ser por elas travadas; e assim que vencem esse obstáculo, desarranjam toda a sociedade, põem em perigo a existência da propriedade burguesa. As relações burguesas tornaram-se estreitas demais para conter a riqueza por elas mesmas criada. E de que modo a burguesia vence tais crises? De um lado, através da destruição forçada de uma massa de forças produtivas; de outro, através da conquista de novos mercados e da exploração mais intensa dos antigos. De que modo, portanto? Mediante a preparação de crises mais gerais e mais violentas e a diminuição dos meios de evitá-las.

As armas de que se serviu a burguesia para abater o feudalismo voltam-se agora contra a própria burguesia.

Mas a burguesia não forjou apenas as armas que lhe trarão a morte; produziu também os homens que empunharão essas armas – os operários modernos, os *proletários*.

Na mesma proporção em que se desenvolve a burguesia, ou seja, o capital, desenvolve-se também o proletariado, a classe dos operários modernos, que vivem

---

* [*1872, 1883, 1890: suprimidas as palavras "da civilização burguesa e".*]

apenas na medida em que encontram trabalho e que só encontram trabalho na medida em que o seu trabalho aumente o capital. Tais operários, obrigados a se vender peça por peça, são uma mercadoria como qualquer outro artigo de comércio e estão, portanto, expostos a todas as vicissitudes da concorrência, a todas as flutuações do mercado.

O desenvolvimento da maquinaria e a divisão do trabalho levam o trabalho dos proletários a perder todo caráter independente e com isso qualquer atrativo para o operário. Esse se torna um simples acessório da máquina, do qual só se requer a operação mais simples, mais monótona, mais fácil de aprender. Em decorrência, as despesas causadas pelo operário reduzem-se quase exclusivamente aos meios de subsistência de que necessita para sua manutenção e para a reprodução de sua espécie (*Race*). Mas o preço de uma mercadoria e, portanto, o do trabalho[36], é igual ao seu custo de produção. Logo, à medida que aumenta o tédio (*die Widerwärtigkeit*) do trabalho, diminui o salário. Mais ainda: à medida que crescem a maquinaria e a divisão do trabalho, cresce também a massa de trabalho, seja através do aumento das horas de trabalho, seja através do aumento do trabalho exigido num certo tempo, seja através da aceleração da velocidade das máquinas, etc.

A indústria moderna transformou a pequena oficina do mestre-artesão patriarcal na grande fábrica do capitalista industrial. Massas de operários, aglomeradas nas fábricas, são organizadas militarmente. Como simples soldados da indústria, são postos sob a vigilância de uma completa hierarquia de suboficiais e oficiais. Não são apenas servos da classe burguesa, do Estado burguês, mas são também, a cada dia e a cada hora, escravizados pela máquina, pelo capataz e sobretudo pelo singular burguês fabricante em pessoa. Tal despotismo é tão mais mesquinho, odioso e exasperador quanto mais abertamente proclama ser o lucro seu objetivo último.

Quanto menos habilidade e força exige o trabalho manual, quer dizer, quanto mais a indústria moderna se desenvolve, mais o trabalho dos homens é suplantado pelo das mulheres e crianças[37]. As diferenças de sexo e de idade não têm mais valor social para a classe operária. Ficam apenas instrumentos de trabalho, cujo custo varia conforme a idade e o sexo.

Uma vez terminada a exploração do operário pelo fabricante, isto é, logo que o operário recebe seu salário, caem sobre ele as outras partes da burguesia: o proprietário da casa, o merceeiro (*der Krämer*), o penhorista, etc.

As que até agora foram as pequenas camadas médias – os pequenos industriais, os pequenos comerciantes e os que vivem de pequenas rendas (*kleinen Rentiers*), os artesãos e os camponeses –, todas essas classes caem no proletariado; em parte porque seu pequeno capital não permite o exercício da grande indústria e sucumbe na concorrência com os grandes capitalistas; em parte porque sua habilidade é desvalorizada pelos novos métodos de produção. Assim, o proletariado cresce por recrutamento em todas as classes da população.

O proletariado passa por diferentes fases de desenvolvimento. Sua luta contra a burguesia começa com sua própria existência.

No princípio, lutam operários isolados, depois os operários de uma mesma fábrica, a seguir os operários de um mesmo ramo da indústria, numa dada localidade, contra o burguês singular que os explora diretamente. Dirigem seus ataques não apenas contra as relações burguesas de produção, mas contra os próprios instrumentos de produção; destroem as mercadorias estrangeiras que lhes fazem concorrência, quebram as máquinas, incendeiam as fábricas, procuram reconquistar pela força a desaparecida posição do trabalhador da Idade Média.

Nessa fase, os operários constituem uma massa disseminada por todo o país e dispersa pela concorrência. A aglomeração de operários em grandes massas ainda não é o resultado da sua própria união, mas da união da burguesia, a qual, para alcançar seus próprios objetivos políticos, é obrigada a colocar em movimento todo o proletariado, o que por enquanto ainda pode fazer. Nessa fase, portanto, os proletários não combatem os seus inimigos, mas os inimigos de seus inimigos, os restos da monarquia absoluta, os proprietários de terras, os burgueses não industriais, os pequeno-burgueses. Assim, todo o movimento histórico está concentrado nas mãos da burguesia; toda vitória obtida nessas condições é uma vitória da burguesia.

Porém, com o desenvolvimento da indústria, o proletariado não apenas se multiplica; concentra-se em massas cada vez maiores, sua força aumenta e ele sente mais tudo isso. Os interesses, as condições de existência no interior do proletariado igualam-se cada vez mais à medida que a maquinaria elimina todas as distinções de trabalho e reduz, quase por toda parte, os salários a um mesmo nível baixo. A crescente concorrência dos burgueses entre si e as crises comerciais que disso resultam tornam os salários dos operários cada vez mais instáveis; o aperfeiçoamento constante e cada vez mais rápido das máquinas torna as condições de vida do operário cada vez mais precárias; as colisões entre o operário singular e o burguês singular assumem cada vez mais o caráter de colisões entre duas classes. Os operários começam a formar coalizões* contra os burgueses; reúnem-se para defender seus salários. Chegam até mesmo a fundar associações permanentes para estarem precavidos no caso de eventuais sublevações. Aqui e ali a luta explode em revoltas.

---

* [*1888: ao invés de "coalizões* (Koalitionen)", *"Combinations (Trade Unions)".*]

De tempos em tempos os operários triunfam, mas é um triunfo efêmero. O verdadeiro resultado de suas lutas não é o êxito imediato, mas a união cada vez mais ampla dos operários. Tal união é facilitada pelo crescimento dos meios de comunicação que são criados pela grande indústria e que colocam em contato os operários de diferentes localidades. E basta esse contato para centralizar as numerosas lutas locais, todas do mesmo caráter, numa luta nacional, numa luta de classes. Mas toda luta de classes é uma luta política. E a união que os habitantes das cidades da Idade Média, com seus caminhos vicinais, levaram séculos para alcançar, é hoje, com as ferrovias, realizada em poucos anos pelos proletários modernos.

Essa organização dos proletários em classe e, com isso, em partido político, é incessantemente abalada pela concorrência entre os próprios operários. Mas renasce sempre, cada vez mais forte, mais firme, mais poderosa. Aproveita-se das divisões internas da burguesia para forçá-la a reconhecer, sob a forma de lei, certos interesses particulares dos operários. Foi assim, por exemplo, com a lei das dez horas de trabalho na Inglaterra[38].

Em geral, as colisões da velha sociedade favorecem de diversas maneiras o desenvolvimento do proletariado. A burguesia vive em luta contínua: no início contra a aristocracia; depois, contra as partes da própria burguesia cujos interesses entram em conflito com os progressos da indústria; e sempre contra a burguesia dos países estrangeiros. Em todas essas lutas, vê-se obrigada a apelar para o proletariado, a solicitar seu auxílio e a arrastá-lo assim para o movimento político. A burguesia mesma, portanto, fornece ao proletariado os elementos de sua própria educação*, isto é, armas contra si mesma.

---

* [*1888: "elementos de sua própria educação política e geral".*]

Além do mais, como já vimos, com o progresso da indústria frações inteiras da classe dominante são lançadas no proletariado, ou pelo menos ameaçadas em suas condições de existência. Também elas fornecem ao proletariado uma massa de elementos de educação*.

Finalmente, nos períodos em que a luta de classes se aproxima da hora decisiva, o processo de dissolução da classe dominante, de toda a velha sociedade, adquire um caráter tão violento e agudo que uma pequena parte da classe dominante se desliga dela e se junta à classe revolucionária, à classe que traz o futuro nas mãos. Portanto, assim como outrora uma parte da nobreza passou-se para a burguesia, hoje uma parte da burguesia passa-se para o proletariado, especialmente uma parte dos ideólogos burgueses que conseguiram alcançar uma compreensão teórica do movimento histórico em seu conjunto.

De todas as classes que hoje se opõem à burguesia, apenas o proletariado é uma classe verdadeiramente revolucionária. As demais classes vão-se arruinando (*verkommen*) e por fim desaparecem com a grande indústria; o proletariado é o seu produto mais autêntico.

As camadas médias (*Mittelstänāe*), o pequeno industrial, o pequeno comerciante, o artesão, o camponês, combatem a burguesia para salvar da ruína (*Untergang*) sua própria existência como camadas médias. Não são portanto revolucionárias, mas conservadoras. Mais ainda, são reacionárias, pois procuram fazer retroceder a roda da história. Quando se tornam revolucionárias, é em consequência de sua iminente passagem para o proletariado; defendem então seus interesses futuros, não seus interesses presentes, abandonando seu próprio ponto de vista pelo do proletariado.

---

* [*1888: "elementos de instrução e de progresso".*]

O lumpemproletariado[39], essa putrefação passiva dos estratos mais baixos da velha sociedade, pode, aqui e ali, ser arrastado ao movimento por uma revolução proletária; no entanto, suas condições de existência o predispõem bem mais a se deixar comprar por tramas reacionárias.

As condições de existência da velha sociedade já estão anuladas nas condições de existência do proletariado. O proletário é sem propriedade; suas relações com a mulher e os filhos nada têm de comum com as relações familiares burguesas; o moderno trabalho industrial, a moderna subjugação ao capital – idêntica na Inglaterra e na França, na América e na Alemanha –, despojou-o de todo caráter nacional. As leis, a moral, a religião, são para ele meros preconceitos burgueses, por detrás dos quais se ocultam outros tantos interesses burgueses.

Todas as classes que no passado conquistaram o poder procuraram consolidar a posição já adquirida submetendo toda a sociedade às suas condições de apropriação. Os proletários não podem se apoderar das forças produtivas sociais a não ser suprimindo o modo de apropriação a elas correspondente e, com isso, todo modo de apropriação existente até hoje. Os proletários nada têm de seu para salvaguardar; têm para destruir toda a segurança privada e todas as garantias privadas até aqui existentes.

Todos os movimentos precedentes foram movimentos de minorias ou no interesse de minorias. O movimento proletário é o movimento independente da imensa maioria no interesse da imensa maioria. O proletariado, estrato (*Schicht*) inferior da atual sociedade, não pode erguer-se, pôr-se de pé, sem que salte pelos ares toda a superestrutura (*Überbau*) dos estratos que constituem a sociedade oficial.

Não por seu conteúdo, mas por sua forma, a luta do proletariado contra a burguesia é num primeiro tempo uma luta nacional. O proletariado de cada país deve evidentemente acabar antes de mais nada com sua própria burguesia.

Esboçando as fases mais gerais do desenvolvimento do proletariado, seguimos a guerra civil (*Bürgerkrieg*) mais ou menos oculta dentro da sociedade atual, até o momento em que ela explode numa revolução aberta e o proletariado funda sua dominação com a derrubada violenta da burguesia.

Toda sociedade até aqui existente repousou, como vimos, no antagonismo entre classes de opressores e classes de oprimidos. Mas, para que uma classe possa ser oprimida, é preciso que lhe sejam asseguradas condições nas quais possa ao menos dar continuidade à sua existência servil (*Knechtische Existenz*). O servo, durante a servidão, conseguiu tornar-se membro da comuna, assim como o burguês embrionário (*Kleinbürger*), sob o jugo do absolutismo feudal, conseguiu tornar-se burguês (*Bourgeois*). O operário moderno, ao contrário, ao invés de se elevar com o progresso da indústria, desce cada vez mais, caindo inclusive abaixo das condições de existência de sua própria classe. O operário torna-se um pobre (*Pauper*) e o pauperismo cresce ainda mais rapidamente do que a população e a riqueza. Fica assim evidente que a burguesia é incapaz de continuar por muito mais tempo sendo a classe dominante da sociedade e de impor à sociedade, como lei reguladora, as condições de existência de sua própria classe. É incapaz de dominar porque é incapaz de assegurar a existência de seu escravo (*Sklaven*) em sua escravidão, porque é obrigada a deixá-lo cair numa situação em que deve alimentá-lo ao invés de ser por ele alimentada. A sociedade não pode mais existir sob sua dominação, quer dizer, a existência da burguesia não é mais compatível com a sociedade.

A condição mais essencial para a existência e a dominação da classe burguesa é a acumulação da riqueza nas mãos de particulares, a formação e o aumento do capital; a condição do capital é o trabalho assalariado. O trabalho assalariado baseia-se exclusivamente na concorrência dos operários entre si. O progresso da indústria, cujo agente involuntário e passivo é a própria burguesia, substitui o isolamento dos operários, resultante da concorrência, por sua união revolucionária resultante da associação. Assim, o desenvolvimento da grande indústria abala sob os pés da burguesia a própria base sobre a qual ela produz e se apropria dos produtos. A burguesia produz, acima de tudo, seus próprios coveiros. Seu declínio e a vitória do proletariado são igualmente inevitáveis.

II
Proletários e comunistas

Qual a relação dos comunistas com os proletários em geral?

Os comunistas não constituem um partido particular diante dos outros partidos operários.

Não têm interesses distintos dos interesses do conjunto do proletariado.

Não propõem princípios particulares*, com os quais desejariam modelar o movimento proletário.

Os comunistas distinguem-se dos outros partidos proletários apenas em dois pontos: de um lado, nas diversas lutas nacionais dos proletários, destacam e fazem prevalecer os interesses comuns, independentes da nacionalidade, de todo o proletariado; de outro lado, nas diferentes fases de desenvolvimento por que passa a luta entre proletariado e burguesia, representam sempre os interesses do movimento em seu conjunto.

Na prática, portanto, os comunistas constituem a parte mais resoluta dos partidos operários de todos os países, a parte que impulsiona sempre mais avante; quanto à teoria, têm sobre a restante massa do proletariado a vantagem de uma compreensão (*die Einsicht*) das condições, do andamento e dos resultados gerais do movimento proletário.

---

* [*1888: "princípios sectários".*]

O objetivo imediato dos comunistas é o mesmo que o de todos os demais partidos proletários: constituição do proletariado em classe, derrubada da dominação da burguesia, conquista do poder político pelo proletariado.

As proposições teóricas dos comunistas não se baseiam de forma alguma em ideias, em princípios inventados ou descobertos por esse ou aquele reformador do mundo.

São apenas a expressão geral das condições efetivas de uma luta de classes já existente, de um movimento histórico que se desenrola sob nossos olhos. A abolição (*Abschaffung*) das relações de propriedade que até agora existiram não é a característica distintiva do comunismo.

Todas as relações de propriedade estiveram sempre submetidas a uma contínua modificação histórica, a uma contínua transformação histórica.

A Revolução Francesa, por exemplo, aboliu a propriedade feudal em favor da propriedade burguesa.

O que caracteriza o comunismo não é a abolição da propriedade em geral, mas a abolição da propriedade burguesa.

Mas a moderna propriedade privada burguesa é a última e mais perfeita expressão da fabricação e apropriação de produtos que se baseia em antagonismos de classes, na exploração de uns por outros*.

Nesse sentido, os comunistas podem resumir sua teoria nessa única expressão: abolição (*Aufhebung*) da propriedade privada.

Nós, comunistas, temos sido acusados de querer abolir a propriedade adquirida pessoalmente, fruto do

---

* [*1888*: "*na exploração da maioria pela minoria*".]

trabalho do indivíduo, propriedade que dizem ser o fundamento de toda liberdade, de toda atividade e de toda independência pessoais.

Propriedade adquirida, fruto do próprio trabalho e do mérito pessoal! Falais da propriedade do pequeno burguês, do pequeno camponês, que antecedeu à propriedade burguesa? Não precisamos aboli-la: o desenvolvimento da indústria já a aboliu e continua a aboli-la diariamente.

Ou falais da moderna propriedade privada burguesa?

Mas o trabalho assalariado, o trabalho do proletário lhe cria propriedade? De modo algum. Cria capital, ou seja, aquela propriedade que explora o trabalho assalariado e que só pode aumentar sob a condição de produzir novo trabalho assalariado, para voltar a explorá-lo. A propriedade na sua forma atual move-se no interior do antagonismo entre capital e trabalho assalariado. Examinemos os dois termos desse antagonismo.

Ser capitalista significa ocupar na produção não somente uma posição pessoal, mas também uma posição social. O capital é um produto coletivo e só pode ser colocado em movimento pela atividade comum de muitos membros da sociedade e mesmo, em última instância, pela atividade comum de todos os membros da sociedade.

O capital, portanto, não é uma potência (*Macht*) pessoal; é uma potência social.

Assim, se o capital é transformado em propriedade comum pertencente a todos os membros da sociedade, não é uma propriedade pessoal que se transforma em propriedade social. Transforma-se apenas o caráter social da propriedade. Ela perde seu caráter de classe.

Passemos ao trabalho assalariado.

O preço médio do trabalho assalariado é o mínimo de salário, ou seja, a soma dos meios de subsistência necessários para que o operário viva como operário. Portanto, o que o operário assalariado obtém com sua atividade apenas é suficiente para reproduzir sua pura e simples existência. De modo algum pretendemos abolir essa apropriação pessoal dos produtos do trabalho necessários à reprodução da vida imediata, apropriação essa que não deixa nenhum lucro líquido (*Reinertrag*) capaz de conferir poder sobre o trabalho alheio. Queremos apenas abolir o caráter miserável dessa apropriação, que faz com que o operário viva unicamente para aumentar o capital e só viva na medida em que o exige o interesse da classe dominante.

Na sociedade burguesa o trabalho vivo é apenas um meio para aumentar o trabalho acumulado. Na sociedade comunista o trabalho acumulado é apenas um meio para ampliar, enriquecer, promover o processo de vida do operário.

Portanto, na sociedade burguesa o passado domina o presente, na sociedade comunista o presente domina o passado. Na sociedade burguesa o capital é independente e pessoal, enquanto o indivíduo ativo (*tätige Individuum*) é dependente e impessoal.

E a burguesia chama a supressão (*Aufhebung*) dessa situação de supressão da personalidade e da liberdade! E com razão. Porque se trata realmente da supressão da personalidade, da independência e da liberdade do burguês.

Nas atuais relações burguesas de produção, por liberdade compreende-se o livre-comércio, a livre-compra e venda.

Mas se o tráfico desaparece, desaparece também o livre tráfico. A fraseologia (*Redensarten*) sobre o tráfico livre, assim como todas as demais bravatas da nossa burguesia sobre a liberdade em geral, só têm sentido perante o tráfico vinculado e os oprimidos moradores dos burgos da Idade Média; não têm sentido algum em face da abolição comunista do tráfico, em face da superação (*Aufhebung*) das relações burguesas de produção e da própria burguesia.

Horrorizai-vos porque queremos abolir a propriedade privada. Mas em vossa atual sociedade a propriedade privada já está abolida para nove décimos de seus membros; ela existe precisamente porque não existe para esses nove décimos. Censurai-nos, portanto, por querer abolir uma propriedade cuja condição necessária é a ausência de toda e qualquer propriedade para a imensa maioria da sociedade.

Numa palavra, censurai-nos por querer abolir vossa propriedade. De fato, é exatamente isso o que queremos.

Desde o momento em que o trabalho não pode mais ser transformado em capital, dinheiro, renda da terra – em poucas palavras, numa potência social capaz de ser monopolizada –, isto é, desde o momento em que a propriedade pessoal não pode mais se transformar em propriedade burguesa, dizeis que o indivíduo (*Person*) está abolido.

Deveis, pois, confessar que por indivíduo entendeis unicamente o burguês, o proprietário burguês. E esse indivíduo, sem dúvida, deve ser abolido.

O comunismo não priva ninguém do poder de se apropriar dos produtos sociais; o que faz é eliminar o poder de subjugar o trabalho alheio por meio dessa apropriação.

Objeta-se ainda que com a abolição da propriedade privada toda a atividade cessaria e uma preguiça geral seria difundida.

Se assim fosse, a sociedade burguesa teria há muito tempo perecido de indolência, pois nela os que trabalham não ganham e os que ganham não trabalham. Toda a dúvida se reduz a essa tautologia: não haverá mais trabalho assalariado quando não mais houver capital.

Todas as objeções feitas ao modo comunista de produção e de apropriação dos produtos materiais têm sido feitas igualmente à produção e à apropriação dos produtos intelectuais (*geistigen Produkte*). Como para o burguês o fim da propriedade de classe equivale ao fim da própria produção, o fim da cultura de classe é para ele idêntico ao fim da cultura em geral.

A cultura (*Bildung*) cuja perda o burguês tanto lastima é para a imensa maioria apenas um adestramento para agir como máquina.

Mas não discutais conosco aplicando à abolição da propriedade burguesa o padrão de vossas concepções burguesas de liberdade, cultura, direito, etc. Vossas próprias ideias (*Ideen*) são um produto das relações burguesas de produção e de propriedade, assim como vosso direito é apenas a vontade da vossa classe erigida em lei, vontade cujo conteúdo é determinado pelas condições materiais de existência da vossa classe.

Essa concepção interesseira, que vos leva a transformar em leis eternas da natureza e da razão as vossas relações de produção e de propriedade – relações históricas que desaparecem no curso da produção –, é por vós compartilhada com todas as classes dominantes já desaparecidas. O que compreendeis para a propriedade antiga, o que compreendeis para a propriedade feudal, já não podeis compreender para a propriedade burguesa.

Abolição da família! Até os mais radicais ficam indignados com essa infame intenção dos comunistas.

Sobre que fundamento repousa a família atual, a família burguesa? Sobre o capital, sobre o lucro privado. A família plenamente desenvolvida existe apenas para a burguesia; mas encontra seu complemento na ausência forçada de família entre os proletários e na prostituição pública.

A família do burguês cai naturalmente com a queda desse seu complemento, e ambos desaparecem com o desaparecimento do capital.

Censurai-nos por querer abolir a exploração das crianças por seus próprios pais? Confessamos esse crime.

Mas dizeis que abolimos as mais sublimes relações ao substituirmos a educação doméstica pela educação social.

E vossa educação, não é ela também determinada pela sociedade? Não é determinada pelas relações sociais nas quais educais vossos filhos, pela ingerência mais ou menos direta ou indireta da sociedade através das escolas, etc.? Os comunistas não inventaram a influência (*die Einwirkung*) da sociedade sobre a educação; procuram apenas transformar o seu caráter, arrancando a educação da influência da classe dominante.

A fraseologia burguesa sobre a família e a educação, sobre os afetuosos vínculos entre criança e pais, torna-se tanto mais repugnante quanto mais a grande indústria rompe todos os laços familiares dos proletários e transforma suas crianças em simples artigos de comércio e em simples instrumentos de trabalho.

"Mas vós, comunistas, quereis introduzir a comunidade das mulheres", grita-nos toda a burguesia em coro.

O burguês vê na própria esposa um simples instrumento de produção. Ouve dizer que os instrumentos de produção devem ser explorados em comum e só pode naturalmente pensar que o mesmo uso em comum atingirá também as mulheres.

Não suspeita que se trata precisamente de abolir a posição das mulheres como simples instrumentos de produção.

De resto, nada mais ridículo do que o horror ultramoralista (*das hochmoralische Entsetzen*) que os nossos burgueses sentem pela pretensa comunidade oficial das mulheres entre os comunistas. Os comunistas não precisam introduzir a comunidade das mulheres; ela quase sempre existiu.

Nossos burgueses, não satisfeitos em ter à sua disposição as mulheres e as filhas de seus proletários, para não falar da prostituição oficial, têm o maior prazer em seduzir mutuamente suas recíprocas esposas.

O casamento burguês é, na realidade, a comunidade das mulheres casadas. Portanto, no máximo seria possível censurar os comunistas por desejarem substituir uma comunidade das mulheres hipocritamente dissimulada por outra comunidade franca e oficial. De resto, é evidente que com a abolição das atuais relações de produção desaparecerá também a comunidade das mulheres que deriva dessas relações, ou seja, a prostituição oficial e não oficial.

Além disso, os comunistas são censurados por querer suprimir a pátria, a nacionalidade.

Os operários não têm pátria. Não se lhes pode tomar aquilo que não têm. Como porém o proletariado deve, em primeiro lugar, conquistar a dominação política (*die politische Herrschaft*), elevar-se a classe nacional*, constituir-se ele mesmo em nação, ele é ainda nacional, embora de forma alguma no sentido que a burguesia atribui ao termo.

As separações e os antagonismos nacionais entre os povos desaparecem cada vez mais com o desenvolvimento da burguesia, com a liberdade de comércio, com o mercado mundial, com a uniformidade da produção industrial e com as condições de existência a ela correspondentes.

A dominação do proletariado fará com que desapareçam ainda mais. A ação unitária (*Vereinigte Aktion*), pelo menos nos países civilizados, é uma das primeiras condições de sua emancipação.

---

* [*1888: "elevar-se à condição de classe dirigente da nação".*]

Na medida em que é abolida a exploração de um indivíduo por outro, é abolida também a exploração de uma nação por outra.

Com o desaparecimento do antagonismo das classes no interior das nações, desaparece também a posição de hostilidade entre as nações.

As acusações contra o comunismo feitas de pontos de vista religiosos, filosóficos e ideológicos em geral, não merecem uma discussão pormenorizada.

Será necessária uma profunda inteligência para compreender que, com a modificação das condições de vida dos homens, das suas relações sociais, da sua existência social, também se modificam suas representações (*Vorstellungen*), suas concepções e seus conceitos, numa palavra, sua consciência?

O que demonstra a história das ideias (*Geschichte der Ideen*) senão que a produção intelectual se transforma com a produção material? As ideias dominantes de uma época sempre foram apenas as ideias da classe dominante.

Fala-se de ideias que revolucionam uma sociedade inteira; com tais palavras exprime-se apenas o fato de que, no interior da velha sociedade, formaram-se os elementos de uma sociedade nova e a dissolução das velhas ideias acompanha a dissolução das velhas condições de existência.

Quando o mundo antigo estava em declínio, as antigas religiões foram vencidas pela religião cristã. Quando no século XVIII as ideias cristãs cederam diante das ideias do Iluminismo (*Aufklärungsideen*), a sociedade feudal combatia sua última luta com a burguesia então revolucionária. As ideias da liberdade de consciência e da liberdade de religião foram apenas a expressão do domínio da livre concorrência no campo do saber*.

---

* [*1848: "no campo da consciência"*.]

"Sem dúvida – dir-se-á –, as ideias religiosas, morais, filosóficas, políticas, jurídicas, etc., modificaram-se no curso do desenvolvimento histórico. Entretanto, a religião, a moral, a filosofia, a política e o direito sempre sobreviveram a essas mudanças."

"Além disso, existem verdades eternas, como liberdade, justiça, etc., que são comuns a todas as condições sociais. O comunismo, porém, acaba com as verdades eternas, acaba com a religião e a moral, ao invés de lhes dar uma nova forma, e isso contradiz todos os desenvolvimentos históricos anteriores."

A que se reduz essa acusação? A história de toda sociedade até nossos dias movimentou-se através de antagonismos de classe, que assumiram formas diferentes nas diferentes épocas.

Mas, qualquer que tenha sido a forma assumida por esses antagonismos, a exploração de uma parte da sociedade por outra é um fato comum a todos os séculos passados. Portanto, não é de espantar que a consciência social de todos os séculos, a despeito de sua multiplicidade e variedade, tenha-se movido sempre dentro de certas formas comuns, de certas formas de consciência que só poderão se dissolver completamente com o completo desaparecimento dos antagonismos de classe.

A revolução comunista é a ruptura mais radical com as relações tradicionais de propriedade; não é de espantar que no curso de seu desenvolvimento ela rompa da maneira mais radical com as ideias tradicionais.

Mas deixemos de lado as objeções da burguesia ao comunismo.

Vimos acima que o primeiro passo na revolução operária é a elevação do proletariado a classe dominante, a conquista da democracia (*die Erkämpfung der Demokratie*).

O proletariado utilizará seu domínio político para arrancar pouco a pouco todo o capital à burguesia, para centralizar todos os instrumentos de produção nas mãos do Estado, ou seja, do proletariado organizado como classe dominante, e para aumentar o mais rapidamente possível a massa das forças produtivas.

Isso naturalmente só poderá ser realizado, no princípio, por uma intervenção despótica no direito de propriedade e nas relações burguesas de produção, isto é, por medidas que parecem economicamente insuficientes e insustentáveis, mas que, no curso do movimento, ultrapassam a si mesmas e são inevitáveis como meio para revolucionar todo o modo de produção.

Tais medidas, é claro, serão diferentes nos diferentes países.

Contudo, nos países mais avançados, as seguintes medidas poderão geralmente ser aplicadas:

1. Expropriação da propriedade fundiária (*Grundeigentums*) e emprego da renda da terra (*Grundrente*) nas despesas do Estado.

2. Imposto fortemente progressivo.

3. Abolição do direito de herança.

4. Confisco da propriedade de todos os emigrados e rebeldes.

5. Centralização do crédito nas mãos do Estado, por meio de um banco nacional com capital do Estado e monopólio exclusivo.

6. Centralização dos meios de transporte nas mãos do Estado.

7. Multiplicação das fábricas nacionais e dos instrumentos de produção; cultivo e melhoramento das terras segundo um plano comum.

8. Trabalho obrigatório igual para todos; constituição de exércitos industriais, especialmente para a agricultura.

9. Unificação (*Vereinigung*) dos serviços agrícola e industrial; medidas tendentes a eliminar gradualmente as diferenças entre cidade e campo*.

10. Educação pública e gratuita de todas as crianças. Eliminação do trabalho das crianças nas fábricas em sua forma atual. Combinação da educação com a produção material, etc.

Quando as diferenças de classe desaparecerem no curso do desenvolvimento e toda a produção concentrar-se nas mãos dos indivíduos associados, o poder público perderá seu caráter político. O poder político propriamente dito é o poder organizado de uma classe para a opressão de outra. Se na luta contra a burguesia o proletariado é forçado a organizar-se como classe, se mediante uma revolução torna-se a classe dominante e como classe dominante suprime violentamente as antigas relações de produção, então suprime também, juntamente com essas relações de produção, as condições de existência dos antagonismos de classe, as classes em geral e, com isso, sua própria dominação de classe.

Em lugar da velha sociedade burguesa, com suas classes e seus antagonismos de classes, surge uma associação na qual o livre desenvolvimento de cada um é a condição para o livre desenvolvimento de todos.

---

* [*1888*: "*9. Combinação da agricultura com as indústrias manufatureiras; abolição gradual da distinção entre cidade e campo por meio de uma distribuição mais igualitária da população pelo país*".]

III
Literatura socialista e comunista

1. O socialismo reacionário

a) *O socialismo feudal*

Por sua posição histórica, a aristocracia inglesa e francesa estava chamada a escrever panfletos contra a moderna sociedade burguesa. Na revolução francesa de julho de 1830 e no movimento inglês pela reforma[40], a aristocracia sucumbiu mais uma vez diante da odiosa arrivista. A partir daí não se podia mais falar numa luta política séria. Restava-lhe apenas a luta literária. Mas mesmo no campo da literatura tornara-se impossível a velha fraseologia da época da Restauração*. Para suscitar simpatias foi preciso que a aristocracia aparentasse perder de vista seus próprios interesses e formulasse uma acusação contra a burguesia unicamente no interesse da classe operária explorada. Entregou-se assim à satisfação de compor canções injuriosas sobre seu novo senhor e de lhe sussurrar ao ouvido profecias mais ou menos sinistras.

Surgiu dessa maneira o socialismo feudal: meio lamentação, meio escárnio; metade ecos do passado, metade ameaças ao futuro; às vezes ferindo a burgue-

---

* Não se trata aqui da restauração inglesa de 1600-1689, mas da restauração francesa de 1814-1830 [Nota de Engels à edição inglesa de 1888].

sia no coração com sua crítica amarga, mordaz e espirituosa, mas sempre produzindo um efeito cômico, devido à sua absoluta incapacidade de compreender a marcha da história moderna.

Para arregimentar o povo, a aristocracia desfraldou como bandeira a sacola de mendigo do proletariado. Mas sempre que o povo a seguiu, percebeu que as costas da bandeira estavam ornadas com os velhos brasões feudais e dispersou-se com grandes e irreverentes gargalhadas.

Uma parte dos legitimistas franceses e a "Jovem Inglaterra"[41] capricharam na apresentação desse espetáculo.

Quando demonstram que seu modo de exploração era distinto da exploração da burguesia, os feudais esquecem-se apenas de uma coisa: que eles exploravam em condições e circunstâncias totalmente diferentes, hoje já antiquadas. Quando demonstram que sob o seu domínio não existia o proletariado moderno, esquecem apenas que a moderna burguesia foi precisamente um fruto necessário de sua organização social.

Além disso, disfarçam tão mal o caráter reacionário de sua crítica que sua principal acusação contra a burguesia é justamente a de que sob o seu regime se desenvolve uma classe que fará ir pelos ares toda a antiga organização social.

O que mais reprovam à burguesia é o fato de ter ela produzido um proletariado revolucionário, não o de ter produzido um proletariado em geral.

Por isso, na prática política, participam de todas as medidas de violência contra a classe operária; e, na vida cotidiana, a despeito de sua presunçosa fraseologia, conformam-se em colher as maçãs de ouro* e em

---

* [1888: " as maçãs de ouro caídas da árvore da indústria".]

trocar fidelidade, amor e honra por lã, açúcar de beterraba e aguardente*.

Assim como o padre sempre caminhou de mãos dadas com o senhor feudal, o socialismo clerical caminha de mãos dadas com o socialismo feudal.

Nada mais fácil do que dar um verniz socialista ao ascetismo cristão. O cristianismo também não se manifestou contra a propriedade privada, contra o matrimônio, contra o Estado? Em seu lugar não pregou a caridade e a pobreza (*den Bettel*), o celibato e a mortificação da carne, a vida monástica e a Igreja? O socialismo sacro** é apenas a água-benta com que o padre consagra o despeito dos aristocratas.

b) *O socialismo pequeno-burguês*

A aristocracia feudal não é a única classe arruinada pela burguesia e cujas condições de existência se atrofiam e vão-se extinguindo na sociedade burguesa moderna. Os moradores dos burgos medievais e a ordem dos pequenos camponeses foram os precursores da burguesia moderna. Nos países menos desenvolvidos industrial e comercialmente, essa classe ainda continua a vegetar ao lado da burguesia em ascensão.

Nos países onde se desenvolveu a civilização moderna, formou-se uma nova pequena burguesia, que está suspensa entre o proletariado e a burguesia e se

---

* *Isso se refere sobretudo à Alemanha, onde a aristocracia latifundiária e os* junkers *cultivam por conta própria grande parte de suas terras com a ajuda de administradores e são, além disso, grandes produtores de açúcar de beterraba e destiladores de aguardente de batata. Os aristocratas britânicos, mais prósperos, não chegaram por enquanto a esse ponto; mas também sabem como compensar a diminuição de suas rendas emprestando seus nomes aos fundadores de sociedades anônimas de reputação mais ou menos duvidosa* [Nota de Engels à edição inglesa de 1888].

** [*1872ss.: "socialismo cristão".*]

reconstitui sempre como parte complementar da sociedade burguesa; os indivíduos que a compõem, no entanto, são constantemente precipitados no proletariado pela concorrência e, com o desenvolvimento da grande indústria, veem aproximar-se o momento no qual desaparecerão completamente como parte independente da sociedade moderna e serão substituídos por capatazes e empregados no comércio, na manufatura, na agricultura.

Em países como a França, onde a classe camponesa constitui bem mais da metade da população, era natural que os escritores que apoiavam o proletariado contra a burguesia usassem a escala do pequeno-burguês e do pequeno camponês em sua crítica do regime burguês e tomassem partido pelos operários segundo o ponto de vista da pequena burguesia. Assim se formou o socialismo pequeno-burguês. Sismondi[42] é o chefe dessa literatura, não apenas na França, mas também na Inglaterra.

Tal socialismo analisou com muita perspicácia as contradições inerentes às modernas relações de produção. Pôs a nu as hipócritas apologias dos economistas. Demonstrou irrefutavelmente os efeitos destruidores da maquinaria e da divisão do trabalho, a concentração dos capitais e da propriedade territorial, a superprodução, as crises, a ruína inevitável dos pequeno-burgueses e dos pequenos camponeses, a miséria do proletariado, a anarquia na produção, a acintosa desproporção na distribuição das riquezas, a guerra industrial de extermínio entre as nações, a dissolução dos antigos costumes, das antigas relações familiares, das antigas nacionalidades.

Entretanto, quanto ao seu conteúdo positivo, tal socialismo ou deseja restabelecer os antigos meios de produção e de troca, e com eles as antigas relações de propriedade e a antiga sociedade, ou deseja aprisionar de novo, à força, os modernos meios de produção e de troca no quadro das antigas relações de propriedade, que foram por eles explodidas, que não podiam deixar de ser por eles explodidas. Em ambos os casos, tal socialismo é ao mesmo tempo reacionário e utópico.

Corporações na manufatura e economia patriarcal no campo: eis sua última palavra.

Em seu ulterior desenvolvimento, essa escola perdeu-se numa covarde depressão*.

c) *O socialismo alemão ou o "verdadeiro" socialismo*

A literatura socialista e comunista da França, nascida sob a pressão de uma burguesia dominante e expressão literária da luta contra essa dominação, foi introduzida na Alemanha numa época em que a burguesia apenas começara sua luta contra o absolutismo feudal.

Filósofos, semifilósofos e belos espíritos (*Schöngeister*) alemães lançaram-se avidamente sobre essa literatura, esquecendo-se apenas que, com a entrada dos escritos franceses, não tinham ao mesmo tempo passado para a Alemanha as condições de existência da França. Nas condições alemãs, a literatura francesa perdeu todo significado prático imediato e assumiu um caráter puramente literário. Aparecia apenas como uma especulação ociosa sobre a verdadeira sociedade, sobre a realização da essência humana. Do mesmo modo, para os filósofos alemães do século XVIII, as reivindicações da primeira revolução francesa não foram mais do que reivindicações da "razão prática" em geral e as manifestações da vontade da burguesia revolucionária francesa expressaram a seus olhos apenas as leis da vontade pura, da vontade como deve ser, da vontade verdadeiramente humana.

---

* [1888: "*Por fim, quando os inflexíveis fatos históricos dissiparam todos os efeitos tóxicos das ilusões, essa forma de socialismo acabou numa miserável melancolia* (a miserable fit of the blues)".]

O trabalho dos literatos alemães consistiu unicamente em harmonizar as novas ideias francesas com sua velha consciência filosófica, ou melhor, em se apropriar das ideias francesas a partir de seu próprio ponto de vista filosófico.

Tal apropriação foi feita da mesma maneira que se usa, em geral, para se apropriar de uma língua estrangeira: pela tradução.

Sabe-se como os monges recobriam os manuscritos das obras clássicas da Antiguidade pagã com insípidas histórias de santos católicos. Os literatos alemães usaram o procedimento inverso com a literatura francesa profana. Escreveram seus absurdos filosóficos por detrás do original francês. Por exemplo, por detrás da crítica francesa das relações monetárias escreveram "alienação da essência humana"; por detrás da crítica francesa do Estado burguês escreveram "superação do domínio do universal abstrato", e assim por diante.

Batizaram essa interpolação da sua fraseologia filosófica na crítica francesa com o nome de "filosofia da ação", "verdadeiro socialismo", "ciência alemã do socialismo", "fundamentação filosófica do socialismo", etc.

Assim, a literatura socialista-comunista francesa foi completamente castrada. E como nas mãos dos alemães ela tinha deixado de ser a expressão da luta de uma classe contra outra, o alemão convenceu-se de ter superado a "unilateralidade francesa" e de ter defendido não verdadeiras necessidades, mas a necessidade da verdade, não os interesses do proletariado, mas os interesses do ser humano, do homem em geral, do homem que não pertence a classe nenhuma, que não pertence a nenhuma realidade, e que apenas existe no céu nebuloso da fantasia filosófica.

Tal socialismo alemão, que levava tão solenemente a sério os seus desajeitados exercícios escolares e que os alardeava tão charlatanescamente, foi perdendo pouco a pouco sua inocência pedantesca.

A luta da burguesia alemã, e principalmente da burguesia prussiana, contra os feudais e a monarquia absoluta, numa palavra, a luta do movimento liberal, tornou-se mais séria.

Desse modo, apresentou-se ao "verdadeiro" socialismo a tão esperada ocasião de opor ao movimento político as reivindicações socialistas, de lançar os tradicionais anátemas contra o liberalismo, contra o Estado representativo, contra a concorrência burguesa, a liberdade de imprensa burguesa, o direito burguês, a igualdade e a liberdade burguesas; de pregar às massas populares que elas nada tinham a ganhar, mas ao contrário tudo a perder com aquele movimento burguês. Bem a propósito, o socialismo alemão esqueceu que a crítica francesa, da qual ele era um eco insípido, pressupunha a moderna sociedade burguesa com as correspondentes condições materiais de existência e uma apropriada constituição política – precisamente os pressupostos que, na Alemanha, ainda se tratava de conquistar.

Para os governos absolutos alemães, com seu séquito de padres, professores, fidalgos rurais (*Krautjunkern*) e burocratas, tal socialismo serviu de bem-vindo espantalho contra a burguesia que se erguia ameaçadora.

Foi o complemento açucarado dos amargos tiros de fuzil e chicotadas com os quais aqueles mesmos governos respondiam aos levantes dos operários alemães.

Se o "verdadeiro" socialismo tornou-se assim uma arma nas mãos dos governos contra a burguesia alemã, representou também diretamente um interesse reacionário, o interesse da pequena burguesia alemã*. Na Alemanha, a pequena burguesia, legada pelo século XVI e que desde então renasce sem cessar sob formas diversas, é a verdadeira base social da situação atual.

---

* [*1888: "o interesse dos filisteus alemães".*]

Sua conservação é a conservação da atual situação alemã. A dominação industrial e política da burguesia ameaça a pequena burguesia de destruição certa – de um lado, pela concentração do capital, de outro, pelo aparecimento de um proletariado revolucionário. O "verdadeiro" socialismo pareceu-lhe capaz de matar ambos os coelhos com uma só cajadada. Propagou-se como uma epidemia.

A roupagem tecida numa teia de aranha especulativa, bordada com as flores retóricas dos belos espíritos (*schöngeistigen Redeblumen*) e impregnada de orvalho sentimental, essa roupagem transcendental na qual os socialistas alemães envolveram suas poucas e descarnadas "verdades eternas", serviu apenas para aumentar a venda de sua mercadoria entre aquele público.

De sua parte, o socialismo alemão reconheceu cada vez melhor sua vocação de ser o representante grandiloquente daquela pequena burguesia. Proclamou que a nação alemã era a nação normal e o pequeno-burguês alemão* o homem normal. A todas as infâmias desse homem normal atribuiu um sentido oculto, superior, socialista, que as fazia significar o contrário do que realmente eram. E chegou às últimas consequências, levantando-se diretamente contra a tendência "brutalmente destruidora" do comunismo e proclamando sua imparcial superioridade diante de todas as lutas de classes. Com pouquíssimas exceções, todos os escritos pretensamente socialistas e comunistas que circulam na Alemanha pertencem a essa literatura suja e enervante**.

---

* [*1888: "o filisteus alemão".*]

** *A tormenta revolucionária de 1848 varreu toda essa lastimável escola e tirou de seus partidários o desejo de continuar especulando com o socialismo. O representante principal e o tipo clássico dessa escola é o sr. Karl Grün.*[43] [Nota de Engels à edição alemã de 1890].

2. O socialismo conservador ou burguês

Uma parte da burguesia deseja remediar os *males sociais* para garantir a existência da sociedade burguesa.

Pertencem a essa categoria: economistas, filantropos, humanitários, os que pretendem melhorar a situação da classe operária, organizadores de beneficências, protetores dos animais (*Abschaffer der Tierquälerei*), fundadores de sociedades de temperança, reformadores obscuros de toda espécie. E chegou-se até mesmo a elaborar esse socialismo burguês em sistemas completos.

Como exemplo podemos citar *Philosophie de la Misère*, de Proudhon[44].

Os burgueses socialistas querem as condições de vida da sociedade moderna sem as lutas e os perigos que delas necessariamente decorrem. Querem a sociedade atual sem os elementos que a revolucionam e a dissolvem. Querem a burguesia sem o proletariado. Como é natural, a burguesia se representa o mundo em que domina como o melhor dos mundos. O socialismo burguês elabora essa representação consoladora em sistemas mais ou menos completos. Quando convida o proletariado a realizar tais sistemas para entrar na nova Jerusalém, nada mais faz, em substância, do que dele exigir que permaneça na sociedade atual, mas renuncie à odiosa representação que faz dela.

Uma segunda forma desse socialismo, menos sistemática, porém mais prática, procurava fazer a classe operária perder o gosto por todo movimento revolucionário, demonstrando-lhe que não seria essa ou aquela transformação política que poderia beneficiá-la, mas apenas uma transformação das condições materiais de existência, das relações econômicas. Por transformação das condições materiais de existência, no entanto, esse socialismo não entende, de maneira alguma, a supressão das relações burguesas de produção – possível apenas por via revolucionária –, mas unicamente melhoramentos administrativos realizados sobre o terreno daquelas mesmas relações de produção, que portanto não mudam em nada as relações entre capital e trabalho assalariado, mas que, no melhor dos casos, reduzem para a burguesia os custos de sua dominação e simplificam o seu orçamento nacional.

O socialismo burguês só atinge sua expressão adequada quando se torna simples figura de retórica.

Livre câmbio! no interesse da classe operária; taxas protecionistas! no interesse da classe operária; prisões celulares! no interesse da classe operária: eis a última palavra, a única pronunciada seriamente, do socialismo burguês.

Seu socialismo consiste precisamente na afirmação de que os burgueses são burgueses – no interesse da classe operária.

3. O socialismo e o comunismo crítico-utópicos

Não nos referimos aqui à literatura que em todas as grandes revoluções modernas formulou as reivindicações do proletariado (escritos de Babeuf[45], etc.).

As primeiras tentativas do proletariado de fazer prevalecer diretamente o seu próprio interesse de classe, realizadas numa época de efervescência geral, no período da derrubada da sociedade feudal, falharam necessariamente em decorrência tanto da forma pouco desenvolvida do próprio proletariado, como da ausência das condições materiais de sua emancipação, condições que são precisamente o produto da época burguesa. A literatura revolucionária que acompanhou esses primeiros movimentos do proletariado tem forçosamente um conteúdo reacionário. Preconiza um ascetismo universal e um grosseiro igualitarismo.

Os sistemas socialistas e comunistas propriamente ditos, os sistemas de Saint-Simon, Fourier,

Owen, etc.[46], surgem no primeiro e pouco desenvolvido período da luta entre proletariado e burguesia, acima descrito (cf. *Burgueses e proletários*).

Os inventores desses sistemas reconhecem, sem dúvida, o antagonismo das classes, assim como a eficácia dos elementos dissolventes na própria sociedade dominante. Mas não veem nenhuma atividade histórica autônoma da parte do proletariado, nenhum movimento político que lhe seja próprio.

Como o desenvolvimento do antagonismo das classes acompanha o desenvolvimento da indústria, eles não encontram as condições materiais para a emancipação do proletariado, e põem-se à procura de uma ciência social, de leis sociais, para criar tais condições.

No lugar da atividade social precisam colocar sua própria atividade pessoal inventiva; no lugar das condições históricas da emancipação, condições fantásticas; no lugar da organização gradual do proletariado em classe, uma organização da sociedade pré-fabricada por eles mesmos. A futura história do mundo, para eles, resolve-se na propaganda e na realização prática de seus planos de sociedade.

É verdade que eles estão conscientes de defender, em seus planos, principalmente os interesses da classe operária, como classe que mais sofre. O proletariado existe para eles apenas desse ponto de vista de classe que mais sofre.

Mas a forma pouco desenvolvida da luta de classes e a sua própria posição acabam por levá-los a se considerarem muito acima de todo e qualquer antagonismo de classe. Querem melhorar a situação de todos os membros da sociedade, inclusive dos mais privilegiados. Por isso, não cessam de apelar indistintamente para toda a sociedade, e de preferência para a classe dominante. Pois basta compreender seu sistema para reconhecê-lo como o melhor plano possível da melhor sociedade possível.

Em consequência, rejeitam toda ação política, e especialmente toda ação revolucionária; querem atingir sua meta por meios pacíficos e procuram abrir caminho ao novo evangelho social pela força do exemplo, através de pequenos experimentos que naturalmente sempre fracassam.

Essa descrição fantástica da sociedade futura, feita numa época em que o proletariado é ainda muito pouco desenvolvido e tem apenas uma concepção fantástica de sua própria posição, corresponde aos* primeiros impulsos intuitivos do próprio proletariado em direção a uma completa transformação da sociedade.

Mas os escritos socialistas e comunistas também contêm elementos críticos. Atacam todas as bases da sociedade existente. Por isso, forneceram valioso material para o esclarecimento dos operários. Suas proposições positivas referentes à sociedade futura – tais como a abolição do contraste entre cidade e campo, da família, do lucro privado, do trabalho assalariado, a proclamação da harmonia social, a transformação do Estado numa simples administração da produção – todas essas proposições nada mais fazem do que exprimir o desaparecimento do antagonismo das classes, antagonismo que apenas começa a se desenvolver e que os inventores de sistemas conhecem apenas sob suas formas mais amorfas e indeterminadas. Tais proposições têm portanto um sentido puramente utópico.

A importância do socialismo e do comunismo crítico-utópicos está na razão inversa do desenvolvimento histórico. À medida que a luta de classes se desenvolve e toma forma, esse fantástico afã de se elevar acima dela, esse fantástico ataque que lhe é feito perde todo valor prático e toda justificação teórica. Por isso, embora os fundadores daqueles sistemas fossem sob muitos

---

* [*1872ss.:* "nascem dos".]

aspectos revolucionários, seus discípulos formam sempre seitas reacionárias. Aferram-se às velhas concepções de seus mestres, apesar do progressivo desenvolvimento histórico do proletariado. Procuram, portanto, e nisto são consequentes, atenuar mais uma vez a luta de classes e conciliar os antagonismos. Continuam a sonhar com a realização experimental de suas utopias sociais, com o estabelecimento de falanstérios isolados, a criação de *home-colonies* em seus países, a fundação de uma pequena Icária* – edições *in-12* da nova Jerusalém; e, para a construção de todos esses castelos no ar (*spanischen Schlösser*), são obrigados a apelar para a filantropia dos corações e dos bolsos burgueses. Pouco a pouco, caem na categoria dos socialistas reacionários ou conservadores acima descritos, deles se distinguindo apenas por um pedantismo mais sistemático e por uma fé fanática e supersticiosa na eficácia milagrosa de sua ciência social.

Por isso, opõem-se encarniçadamente a todo movimento político dos operários, pois ele apenas poderia provir de uma cega falta de fé no novo evangelho.

Os owenistas na Inglaterra, os fourieristas na França, reagem respectivamente contra os cartistas e contra os reformistas[47].

---

* Falanstérios *eram as colônias socialistas projetadas por Charles Fourier;* Icária *era o nome dado por Cabet à sua utopia e, mais tarde, à sua colônia comunista na América* [Nota de Engels à edição inglesa de 1888].

Owen chamou suas sociedades comunistas modelares de home--colonies (*colônias no interior*). Falanstério *era o nome dos edifícios sociais imaginados por Fourier. Chamava-se* Icária *o país fantástico cujas instituições comunistas Cabet descreveu* [Nota de Engels à edição alemã de 1890].

IV
Posição dos comunistas diante dos diversos partidos de oposição

Depois do que dissemos no capítulo II, explica-se por si mesma a relação dos comunistas com os partidos operários já constituídos, e portanto a sua relação com os cartistas na Inglaterra e com os reformadores agrários na América do Norte.

Os comunistas lutam para alcançar os interesses e objetivos imediatos da classe operária, mas no movimento presente representam ao mesmo tempo o futuro do movimento. Na França, os comunistas aliam-se ao partido democrático-socialista* contra a burguesia

---

* Esse partido era então representado no Parlamento por Ledru-Rollin (Alexander Auguste Ledru-Rollin (1807-1874): publicista e político democrático francês, diretor do periódico *La Réforme*, membro do governo provisório de 1848) *na literatura por Louis Blanc* (Louis Blanc (1811-1882): historiador e socialista moderado francês, personalidade da revolução de 1848-1849.) *na imprensa diária por La Réforme. O nome social-democracia significava, nos lábios de seus inventores, a parte do partido democrático ou republicano que tinha uma coloração mais ou menos socialista* [Nota de Engels à edição inglesa de 1888]. *O que então se chamava na França Partido Democrático-Socialista era representado na política por Ledru-Rollin e na literatura por Louis Blanc; estava pois a cem mil léguas da social-democracia alemã atual* [Nota de Engels à edição alemã de 1890].[48]

conservadora e radical, sem no entanto renunciar ao direito de criticar a fraseologia e as ilusões legadas pela tradição revolucionária.

Na Suíça apoiam os radicais, sem desconhecer que esse partido é formado por elementos contraditórios, metade socialistas democráticos no sentido francês da palavra, metade burgueses radicais.

Entre os poloneses, os comunistas apoiam o partido que vê numa revolução agrária a condição da libertação nacional, o partido que desencadeou a insurreição de Cracóvia em 1846[49]. Na Alemanha, o partido comunista luta junto com a burguesia sempre que ela assume uma posição revolucionária, contra a monarquia absoluta, a propriedade fundiária e a pequena burguesia.

Mas em momento algum o partido comunista cessa de desenvolver nos operários uma consciência tão clara quanto possível do antagonismo hostil existente entre burguesia e proletariado, para que os operários alemães saibam converter as condições políticas e sociais que a burguesia deve necessariamente criar com a sua dominação, em outras tantas armas contra a burguesia, a fim de que, imediatamente após terem sido destruídas as classes reacionárias da Alemanha, possa começar a luta contra a própria burguesia.

É sobretudo para a Alemanha que os comunistas voltam sua atenção, porque a Alemanha se encontra às vésperas de uma revolução burguesa, porque realizará essa revolução nas condições mais avançadas da civilização europeia, com um proletariado muito mais desenvolvido do que o da Inglaterra no século XVII e o da França no século XVIII, e porque a revolução burguesa alemã só poderá ser o imediato prelúdio de uma revolução proletária.

Numa palavra, em todas as partes os comunistas apoiam todo movimento revolucionário contra as condições sociais e políticas existentes.

Em todos esses movimentos põem em destaque como questão fundamental do movimento a questão da propriedade, tenha ela alcançado ou não uma forma mais desenvolvida.

Finalmente, em todas as partes os comunistas trabalham pela união e pelo entendimento entre os partidos democráticos de todos os países.

Os comunistas recusam-se a ocultar suas opiniões e suas intenções. Declaram abertamente que seus objetivos só podem ser alcançados com a derrubada violenta de toda a ordem social até aqui existente. Que as classes dominantes tremam diante de uma revolução comunista. Os proletários nada têm a perder nela a não ser suas cadeias. Têm um mundo a ganhar.

Proletários de todos os países, uni-vos!

ANEXOS

ANEXO I
Princípios do comunismo[50]

Friedrich Engels

1. *Pergunta: O que é o comunismo?*

Resposta: O comunismo é a doutrina das condições de libertação do proletariado.

2. *Pergunta: O que é o proletariado?*

Resposta: O proletariado é a classe da sociedade que retira sua subsistência unicamente da venda de seu trabalho e não do lucro de um capital qualquer; a classe cujo bem-estar, cuja vida e cuja morte, cuja existência toda depende da demanda de trabalho, quer dizer, da alternância de bons e maus períodos de negócios, das flutuações de uma concorrência desenfreada. O proletariado ou a classe dos proletários é, numa palavra, a classe trabalhadora do século XIX.

3. *Pergunta: Nem sempre, portanto, existiram proletários?*

Resposta: Não. Classes pobres e trabalhadoras sempre existiram, e na maior parte das vezes as classes trabalhadoras foram pobres. Porém, pobres como esses, trabalhadores como esses, vivendo nas condições acima indicadas, quer dizer, proletários, não existiram sempre, do mesmo modo que a concorrência nem sempre foi livre e desenfreada.

4. *Pergunta: Como nasceu o proletariado?*

Resposta: O proletariado nasceu da revolução industrial que se produziu na Inglaterra na segunda metade do século passado [século XVIII] e que se repetiu depois em todos os países civilizados do mundo. Essa revolução industrial foi provocada pela invenção da máquina a vapor, das diversas máquinas têxteis, do tear mecânico e de toda uma série de outros dispositivos mecânicos. Tais máquinas, que eram muito caras e, por isso, só podiam ser adquiridas pelos grandes capitalistas, transformaram completamente o antigo modo de produção e suplantaram os antigos trabalhadores, já que as máquinas forneciam mercadorias melhores e mais baratas do que as que os trabalhadores podiam fabricar com suas rocas de fiar e seus teares imperfeitos. Essas máquinas puseram a indústria inteiramente nas mãos dos grandes capitalistas e desvalorizaram a escassa propriedade dos operários (ferramentas, teares, etc.), até que os capitalistas apropriaram-se de tudo e nada mais restou aos operários. Implantou-se desse modo o sistema fabril na produção de tecidos. Uma vez dado o primeiro impulso à introdução da maquinaria e do sistema fabril, esse sistema estendeu-se rapidamente aos demais ramos industriais, principalmente à estamparia de tecidos, à tipografia, à cerâmica e à indústria metalúrgica. O trabalho foi dividido cada vez mais entre os operários, e o operário que antes fazia um objeto inteiro passou então a fazer apenas uma parte desse objeto. Tal divisão do trabalho permitiu que os produtos pudessem ser fabricados mais rapidamente e, portanto, a menor preço. Reduziu a atividade de cada operário a um movimento mecânico muito simples, constantemente repetido, que podia ser não só realizado, mas também melhorado por uma máquina. Desse modo, todos os ramos industriais foram caindo, um após o outro, sob o domínio da força a vapor, da maquinaria e do sistema fabril, a exemplo das fiações e tecelagens. Consequentemente, passaram de uma vez por todas e integralmente para as mãos dos grandes capitalistas, e os operários foram despojados dos últimos resíduos de independência. Pouco a pouco, além da manufatura propriamente dita, também o artesanato caiu sob o domínio do sistema fabril: os grandes capitalistas, instalando grandes oficinas que lhes permitiam diminuir os custos e dividir o trabalho em grande escala, suplantaram progressivamente os pequenos mestres-artesãos (*die kleinen Meister*). E assim chegamos à situação atual, em que, nos países civilizados, quase todos os ramos de trabalho funcionam com o sistema fabril e em quase todos os ramos de trabalho a grande indústria suplantou o artesanato e a manufatura. Com isso, arruinou-se cada vez mais a antiga classe média, em particular os pequenos mestres-artesãos (*die kleinen Handwerksmeister*), transformou-se completamente a antiga situação dos trabalhadores e foram criadas duas classes novas, que pouco a pouco absorvem todas as demais, a saber:

> a) A classe dos grandes capitalistas, que em todos os países civilizados já tem a posse quase exclusiva de todos os meios de subsistência, e também das matérias-primas e dos instrumentos (máquinas, fábricas) necessários à produção dos meios de subsistência. Essa é a classe dos burgueses ou a burguesia.
>
> b) A classe dos que não possuem absolutamente nada, que são obrigados a vender aos burgueses seu trabalho, para receber em troca os meios de subsistência necessários à sua manutenção. Essa classe denomina-se classe dos proletários ou proletariado.

5. *Pergunta: Sob que condições realiza-se essa venda do trabalho dos proletários aos burgueses?*

Resposta: O trabalho é uma mercadoria como todas as outras e o seu preço é portanto determinado exatamente segundo as mesmas leis que regem o preço de todas as demais mercadorias. Entretanto, sob o domínio da grande indústria ou da livre concorrência – que, como veremos, são a mesma coisa –, o preço de uma mercadoria é em média sempre igual ao custo de produção dessa mercadoria. O preço do trabalho, portanto, também é igual ao custo de produção dessa mercadoria. Mas o custo de produção do trabalho consiste exatamente na quantidade de meios de subsistência necessários para o operário manter sua capacidade de trabalho e para impedir a extinção da classe operária. Portanto, o operário não receberá por seu trabalho mais do que o necessário para esse fim; o preço do trabalho, ou o salário, será portanto o mínimo estritamente necessário à subsistência. Porém, como os períodos de bons negócios alternam-se com os períodos de maus negócios, o operário receberá umas vezes mais outras menos, exatamente como o fabricante que recebe umas vezes mais outras menos por suas mercadorias. Contudo, do mesmo modo que o fabricante, na média dos bons e dos maus períodos, não recebe por sua mercadoria nem mais nem menos do que o seu custo de produção, o operário também não receberá, em média, nem mais nem menos do que esse mínimo. Tal lei econômica do salário irá se impor com tanto maior rigor quanto mais a grande indústria for se apropriando de todos os ramos do trabalho.

6. *Pergunta: Quais eram as classes trabalhadoras antes da revolução industrial?*

Resposta: As classes trabalhadoras viveram sob diferentes condições e ocuparam posições diferentes diante das classes possuidoras e dominantes, segundo as diferentes fases de desenvolvimento da sociedade. Na Antiguidade os que trabalhavam eram os *escravos* (*Sklaven*) dos que possuíam, como ainda é o caso em muitos países atrasados e inclusive no sul dos Estados Unidos. Na Idade Média eram os *servos* (*Leibeigenen*) dos nobres proprietários de terras, como são ainda hoje na Hungria, na Polônia e na Rússia. Na Idade Média e até à época da revolução industrial, existiam também, nas cidades, oficiais-artesãos (*Handwerksgesellen*) que trabalhavam a serviço de mestres pequeno-burgueses (*kleinenbürgerlicher Meister*); pouco a pouco, com o desenvolvimento da manufatura, surgiram também operários de manufatura, empregados por capitalistas mais encorpados.

7. *Pergunta: O que distingue o proletário do escravo?*

Resposta: O escravo é vendido de uma vez por todas; o proletário tem que se vender a si mesmo a cada dia e a cada hora. O escravo singular, propriedade de *um* senhor, tem, por interesse desse senhor, uma existência assegurada, por mais miserável que seja ela; o proletário singular, propriedade, por assim dizer, de toda a *classe* burguesa, e que só tem seu trabalho vendido quando alguém dele necessita, não tem a existência assegurada. Apenas está assegurada a existência da *classe* proletária em seu conjunto. O escravo está fora da concorrência; o proletário está a ela submetido e se ressente de todas as suas flutuações. O escravo é considerado um objeto, não um membro da sociedade civil (*bürgerlichen Gesellschaft*); o proletário é reconhecido como pessoa, como membro da sociedade civil. Portanto, o escravo pode ter uma existência melhor do que a do proletário, mas o proletário pertence a uma etapa superior de desenvolvimento da sociedade e ocupa também, ele mesmo, uma posição superior à do escravo. O escravo se liberta abolindo, entre todas as relações de propriedade privada, apenas a relação de escravidão e convertendo-se com isso em proletário; o proletário só pode se libertar abolindo a propriedade privada em geral.

8. *Pergunta: O que distingue o proletário do servo?*

Resposta: O servo (*Leibeigene*) tem a posse e o uso de um instrumento de produção, de um pedaço de terra, em troca de uma parte do produto ou da prestação de trabalho. O proletário trabalha com instrumentos de produção de um outro, por conta deste outro, e recebe em troca uma parte do produto. O servo cede, o proletário recebe. O servo tem uma existência assegurada, o proletário não. O servo está fora da concorrência, o proletário está a ela submetido. O servo se liberta ou refugiando-se nas cidades para tornar-se artesão, ou dando ao seu senhor dinheiro ao invés de trabalho ou produtos, transformando-se assim em arrendatário livre, ou ainda expulsando o seu senhor feudal e tornando-se ele mesmo proprietário; em resumo, entrando de uma maneira ou de outra na classe possuidora e na concorrência. O proletário se liberta abolindo a concorrência, a propriedade privada e todas as diferenças de classe.

9. *Pergunta: O que distingue o proletário do artesão*[51]*?*

10. *Pergunta: O que distingue o proletário do operário manufatureiro?*

Resposta: O operário manufatureiro do século XVI ao século XVIII possuía ainda, em quase todas as partes, um instrumento de produção: seu tear, as rocas para sua família, uma pequena área de terra que cultivava nas horas livres. O proletário não possui nada disso. O operário manufatureiro vivia quase sempre no campo, estabelecendo relações mais ou menos patriarcais com seu senhor (*Gusherrn*) ou com seu patrão (*Arbeitgeber*); o proletário vive, em geral, nas grandes cidades e mantém com seu patrão relações exclusivamente de dinheiro. O operário manufatureiro é arrancado pela grande indústria de suas patriarcais condições de vida, perde aquele pouco que ainda possuía e só então se converte em proletário.

11. Pergunta: *Quais foram as consequências imediatas da revolução industrial e da divisão da sociedade em burgueses e proletários?*

Resposta: Em primeiro lugar, o antigo sistema da manufatura ou da indústria baseada no trabalho manual foi completamente destruído, em todos os países do mundo, pela diminuição constante dos preços dos produtos industriais decorrente da introdução do trabalho feito com as máquinas. Todos os países semibárbaros, que até então tinham permanecido mais ou menos à margem do desenvolvimento histórico e cuja indústria ainda se baseava na manufatura, foram violentamente arrancados de seu isolamento. Começaram a comprar as mercadorias mais baratas dos ingleses e deixaram perecer seus próprios operários manufatureiros. Países que após milhares de anos não tinham feito qualquer progresso – a Índia, por exemplo – foram completamente revolucionados, e até a China caminha agora para uma revolução. A situação chegou a tal ponto que a invenção de uma nova máquina na Inglaterra pode, no espaço de um ano, privar do pão milhões de operários chineses. Desse modo, a grande indústria estabeleceu ligações entre todos os povos da terra, uniu num único mercado mundial todos os pequenos mercados locais, preparou em todas as partes a civilização e o progresso e criou uma situação na qual tudo o que ocorre nos países civilizados repercute necessariamente nos demais países. Assim, se hoje se libertarem os operários na Inglaterra ou na França, isso deve provocar em todos os demais países revoluções que mais cedo ou mais tarde conduzirão à libertação dos operários desses países.

Em segundo lugar, em todas as partes onde a grande indústria substituiu a manufatura, a burguesia aumentou ao máximo sua riqueza e seu poder e tornou-se a primeira classe do país. Em consequência, em todas as partes onde isso ocorreu, a burguesia tomou o poder político em suas mãos e desalojou as classes até então dominantes: a aristocracia, os mestres-artesãos dos grêmios (*Zunftbürger*) e a monarquia absoluta que representava os dois grupos. A burguesia destruiu o poderio da aristocracia e da nobreza suprimindo o morgadio (*die Majorate*), isto é, a inalienabilidade da propriedade fundiária, e os demais privilégios da nobreza. Destruiu o poderio dos mestres dos grêmios suprimindo todas as corporações e todos os privilégios corporativos. No lugar disso tudo colocou a livre concorrência, quer dizer, aquele estado da sociedade em que cada um tem o direito de explorar o ramo industrial que lhe apetece, sem que nada, a não ser a falta do capital necessário para isso, possa impedi-lo. A introdução da livre concorrência representa, portanto, a proclamação pública de que, a partir daquele momento, os membros da sociedade são desiguais entre si unicamente na medida em que são desiguais seus capitais; a proclamação de que o capital é a potência decisiva e de que portanto os capitalistas, os burgueses, tornaram-se a primeira classe da sociedade. Mas a livre concorrência é necessária no início da grande indústria, pois é o único estado social em que ela pode progredir. A burguesia, após aniquilar deste modo o poderio social da nobreza e dos mestres dos grêmios, aniquila também o seu poderio político. E do mesmo modo que se instaurou como primeira classe da sociedade, a burguesia proclama-se também a primeira classe no terreno político. E faz isso mediante a introdução do sistema representativo baseado na igualdade civil diante da lei e no reconhecimento legal da livre concorrência, sistema esse que nos países europeus foi introduzido sob a forma da monarquia constitucional. Nessas monarquias constitucionais somente são eleitores aqueles que possuem um certo capital, quer dizer, somente os burgueses; esses eleitores-burgueses elegem os deputados e esses deputados-burgueses, através do direito de recusar o pagamento dos impostos, elegem por sua vez um governo burguês.

Em terceiro lugar, por toda parte a revolução industrial desenvolveu o proletariado na mesma medida em que desenvolve a burguesia. O número de proletários aumentou nas mesmas proporções que o enriquecimento dos burgueses. Como os proletários só podem ser empregados pelo capital e como o capital só aumenta na medida em que emprega trabalho, o crescimento do proletariado dá-se em exata correspondência com o crescimento do capital. A revolução industrial concentra ao mesmo tempo burgueses e proletários em grandes cidades, nas quais a indústria pode ser exercida em condições mais vantajosas, e com essa concentração de grandes massas num *único* lugar dá aos proletários a consciência de sua força. Além disso, quanto mais a revolução industrial se desenvolve, quanto mais se inventam novas máquinas que suplantam o trabalho manual, tanto mais a grande indústria reduz os salários a seu mínimo, como já dissemos, tornando assim cada vez mais insuportável a situação do proletariado. Desse modo, de um lado pelo crescente descontentamento, de outro pelo crescente poderio do proletariado, a burguesia prepara uma revolução da sociedade pelo proletariado.

12. *Pergunta: Quais foram as demais consequências da revolução industrial?*

Resposta: A grande indústria criou, com a máquina a vapor e as demais máquinas, os meios de aumentar a produção industrial ao infinito, em pouco tempo e com poucos gastos. Graças a essa facilidade de produção, a livre concorrência – consequência necessária da grande indústria – adquiriu rapidamente um caráter extremamente violento; uma multidão de capitalistas atirou-se sobre a indústria e em pouco tempo produziu-se mais do que podia ser consumido. Em consequência, as mercadorias fabricadas não conseguiam ser vendidas, produzindo-se assim o que se chama de crise comercial. As fábricas foram obrigadas a parar, os fabricantes faliram e os operários ficaram sem pão. Apareceu por toda parte uma miséria espantosa. Passado algum tempo, os produtos excedentes puderam ser vendidos, as fábricas recomeçaram a trabalhar, os salários subiram e pouco a pouco os negócios voltaram a prosperar como nunca. Mas ao fim de pouco tempo tornou-se a produzir um excesso de mercadorias e sobreveio nova crise, que se desenrolou exatamente como a anterior. E assim, desde o início do século, a indústria vem oscilando constantemente entre períodos de prosperidade e períodos de crise, e quase regularmente a cada cinco ou sete anos produziu-se uma dessas crises, que foram sempre acompanhadas por uma enorme miséria dos operários, uma excitação revolucionária geral e um grande perigo para toda a ordem existente.

13. *Pergunta: Quais são as consequências dessas crises comerciais que se repetem regularmente?*

Resposta: Em primeiro lugar, a grande indústria, embora tenha sido ela mesma, no primeiro período de seu desenvolvimento, a gerar a livre concorrência, agora já não pode mais conter-se nos limites da livre concorrência; a concorrência e, em termos gerais, o exercício da produção industrial por parte de indivíduos singulares converteram-se num entrave que a grande indústria deve romper e romperá; a grande indústria, enquanto continuar funcionando sobre sua base atual, só pode manter-se ao preço de uma confusão geral que se repete de sete em sete anos, que toda vez coloca em perigo a civilização inteira, precipita os proletários na miséria e arruína um grande número de burgueses; consequentemente, ou se deve renunciar por completo à grande indústria, o que é absolutamente impossível, ou a grande indústria torna absolutamente necessária uma organização totalmente nova da sociedade, na qual a produção industrial não seja mais dirigida por fabricantes singulares concorrentes entre si mas por toda a sociedade, segundo um plano determinado e segundo as necessidades de todos.

Em segundo lugar, a grande indústria e a extensão da produção ao infinito por ela permitida tornam possível um estado da sociedade no qual a produção satisfaça a todas as necessidades, de modo que cada membro da sociedade seja posto em condições de desenvolver e exercitar com absoluta liberdade todas as suas energias e aptidões. Assim, é precisamente essa qualidade da grande indústria – que na sociedade atual gera todas as misérias e todas as crises comerciais – que, numa outra organização social, destruirá essa mesma miséria e essas funestas flutuações.

Fica pois clarissimamente demonstrado:

a) que a partir de agora todos esses males devem ser atribuídos exclusivamente à atual ordem social, que já não se adapta mais à situação;

b) que já existem os meios de eliminar completamente esses males, mediante a instauração de uma nova ordem social.

14. *Pergunta: Como deverá ser essa nova ordem social?*

Resposta: Antes de mais nada, ela tirará o funcionamento (*Betrieb*) da indústria e de todos os ramos da produção das mãos de indivíduos singulares concorrentes entre si e o entregará a toda a sociedade, quer dizer, à comunidade, para funcionar segundo um plano comum e com a participação de todos os membros da sociedade. Desse modo, abolirá a concorrência e implantará em seu lugar a associação. Além disso, como a exploração da indústria pelos singulares tinha por consequência necessária a propriedade privada – e como a concorrência nada mais é do que a forma que assume a exploração industrial realizada por proprietários privados singulares –, a propriedade privada é inseparável da exploração individual da indústria e da concorrência. Portanto, também deverá ser abolida a propriedade privada, que será substituída pela utilização em comum de todos os instrumentos de produção e pela distribuição dos produtos com base num acordo comum, ou seja, pela chamada comunidade dos bens (*Gutergemeinschaft*). A abolição da propriedade privada é, de fato, a síntese mais concisa e mais característica da transformação da ordem social em seu conjunto, transformação essa que deriva do desenvolvimento da indústria; é por isso que os comunistas fazem dela sua principal reivindicação.

15. *Pergunta: Quer dizer, então, que a abolição da propriedade privada não era possível até agora?*

Resposta: Não, não era possível. Toda transformação da ordem social, toda revolução das relações de propriedade, sempre foi a consequência necessária do nascimento de novas forças produtivas, que já não correspondiam mais às velhas relações de propriedade. A própria propriedade privada surgiu dessa maneira. A propriedade privada não existiu sempre; quando, nos fins da Idade Média, foi criado com a manufatura um novo tipo de produção que não se deixava subordinar à propriedade feudal e corporativa então vigente, essa manufatura, que já não se ajustava mais às velhas relações de propriedade, gerou uma nova forma de propriedade, a propriedade privada. Para a manufatura e para a primeira etapa de desenvolvimento da grande indústria não era admissível qualquer outra forma de propriedade senão a propriedade privada e nenhuma outra ordem social senão a ordem social baseada na propriedade privada. Enquanto a produção não for suficiente tanto para cobrir as necessidades de todos como também para fornecer um certo excedente de produtos destinados ao incremento do capital social e ao ulterior desenvolvimento das forças produtivas, devem existir necessariamente uma classe dominante que disponha das forças produtivas da sociedade e uma classe pobre, oprimida. Como essas classes se constituem é algo que depende, em cada caso, do grau de desenvolvimento da produção. A Idade Média, que dependia da agricultura, nos dá o senhor feudal (*Baron*) e o servo; as cidades do fim da Idade Média nos mostram o mestre-artesão (*Zunftmeister*), o oficial e o diarista (*Taglöhner*); o século XVII, os manufatureiros e os operários de manufatura; o século XIX, o grande fabricante e o proletário. É evidente que, até o presente, as forças produtivas ainda não estavam desenvolvidas para produzir o suficiente para todos e a propriedade ainda não era um entrave, um obstáculo a essas forças produtivas. Mas hoje, quando, graças ao desenvolvimento da grande indústria, *em primeiro lugar*, produziram-se capitais e forças produtivas em proporções jamais conhecidas antes e existem, além disso, os meios para aumentar ao infinito e rapidamente essas forças produtivas; quando, *em segundo lugar*, tais forças produtivas estão concentradas nas mãos de um reduzido número de burgueses, enquanto a grande massa do povo se proletariza cada vez mais e sua situação torna-se cada vez mais miserável e insustentável, na mesma proporção em que aumentam as riquezas dos burgueses; quando, *em terceiro lugar*, essas forças produtivas, poderosas e fáceis de serem incrementadas, ultrapassam a tal ponto os marcos da propriedade privada e do burguês que provocam a todo instante as mais violentas perturbações da ordem social – hoje, então, a abolição da propriedade privada tornou-se não só possível, como também absolutamente necessária.

16. *Pergunta: Será possível a abolição da propriedade privada por via pacífica?*

Resposta: Seria desejável que isso pudesse ocorrer e os comunistas seriam, com toda certeza, os últimos a isso se oporem. Os comunistas sabem muito bem que todas as conspirações são não apenas inúteis, mas até mesmo prejudiciais. Sabem muito bem que as revoluções não se fazem deliberadamente ou por vontade, mas são sempre e em todos os lugares a consequência necessária de circunstâncias absolutamente independentes da vontade e da direção de partidos singulares e mesmo de classes inteiras. Mas veem também que o desenvolvimento do proletariado é reprimido com violência em quase todos os países civilizados e que, com isso, os adversários dos comunistas nada mais fazem do que trabalhar com todas as forças para uma revolução. E se, nessas condições, o proletariado oprimido for finalmente impelido para uma revolução, nós, comunistas, defenderemos a causa do proletariado com a ação, do mesmo modo como agora a defendemos com a palavra.

17. *Pergunta: A abolição da propriedade privada poderá ser feita de um só golpe?*

Resposta: Não, do mesmo modo que as forças produtivas existentes não podem ser multiplicadas de *um só golpe* na medida necessária para a instituição da comunidade dos bens. A revolução do proletariado, que com toda probabilidade está para se produzir, só poderá portanto transformar gradualmente a sociedade atual e só poderá abolir a propriedade privada quando tiver criado a massa de meios de produção necessária para isso.

18. *Pergunta: Que curso seguirá essa revolução?*

Resposta: Antes de mais nada, estabelecerá uma Constituição democrática (*feine demokratische Staatsverfassung*) e portanto, direta ou indiretamente, a dominação política do proletariado. Diretamente na Inglaterra, onde os proletários já são a maioria do povo. Indiretamente na França e na Alemanha, onde a maioria do povo não é composta só de proletários, mas também de pequenos camponeses e pequeno-burgueses, que apenas agora se encontram na fase de transição ao proletariado e que, no que se refere aos seus interesses políticos, dependem cada vez mais do proletariado, razão pela qual acabarão por aderir às reivindicações do proletariado. Isso talvez venha a custar uma segunda luta que, entretanto, apenas poderá terminar com a vitória do proletariado.

A democracia seria inteiramente inútil ao proletariado se não fosse imediatamente empregada como meio para obter toda uma série de medidas que ataquem diretamente a propriedade privada e assegurem a existência do proletariado. As principais dessas medidas, que já resultam como consequências necessárias da atual situação, são:

1. Limitação da propriedade privada mediante impostos progressivos, fortes impostos sobre as heranças, supressão dos direitos hereditários em linha colateral (irmãos, sobrinhos, etc.), empréstimos obrigatórios, etc.

2. Expropriação gradual dos proprietários fundiários, fabricantes, proprietários de ferrovias e armadores navais, em parte mediante a concorrência das indústrias do Estado, em parte diretamente, mediante indenização em hipotecas (*Assignatem*).

3. Confisco dos bens de todos os emigrados e de todos aqueles que se rebelarem contra a maioria do povo.

4. Organização do trabalho, ou seja, emprego dos proletários nas terras, fábricas e oficinas nacionais, o que eliminará a concorrência dos operários entre si e obrigará os fabricantes, enquanto existirem, a pagar salários tão elevados quanto os do Estado.

5. Trabalho obrigatório para todos os membros da sociedade, até a completa abolição da propriedade privada. Formação de exércitos industriais, especialmente para a agricultura.

6. Centralização do sistema de crédito e das finanças nas mãos do Estado através de um banco nacional formado com capital do Estado e interdição de todos os bancos privados e dos banqueiros.

7. Multiplicação das fábricas e oficinas nacionais, das ferrovias e dos navios; arroteamento de todas as terras e melhoramento das já arroteadas, na mesma medida em que aumentem os capitais e os operários de que disponha a nação.

8. Educação de todas as crianças a partir do instante em que possam prescindir dos cuidados maternos, em estabelecimentos nacionais e a cargo do Estado. Educação conjugada com o trabalho fabril.

9. Construção, nos terrenos nacionais, de grandes prédios (*Paläste*) que sirvam de habitação coletiva às comunidades de cidadãos que trabalhem tanto na indústria como na agricultura, reunindo assim as vantagens da vida urbana e da vida no campo, sem compartilhar a unilateralidade e os inconvenientes de ambos os modos de vida.

10. Demolição de todas as casas e de todos os bairros insalubres e malconstruídos.

11. Iguais direitos hereditários tanto para os filhos legítimos quanto para os ilegítimos.

12. Concentração de todos os meios de transporte nas mãos da nação.

Todas essas medidas não poderão, evidentemente, ser implantadas de uma só vez. Mas de uma decorrerá necessariamente a outra. Realizado o primeiro ataque (*Angriff*) radical contra a propriedade privada, o proletariado ver-se-á obrigado a avançar cada vez mais, a concentrar cada vez mais nas mãos do Estado todo o capital, toda a agricultura, toda a indústria, todos os transportes e todas as trocas. É para isso que tendem todas essas medidas; elas serão realizadas e engendrarão suas consequências centralizadoras na mesma medida em que o trabalho do proletariado multiplicar as forças produtivas do país. Finalmente, quando todo o capital, toda a produção e todas as trocas concentrarem-se nas mãos da nação, a propriedade privada desaparecerá por si só, o dinheiro será supérfluo, a produção aumentará a tal ponto e os homens mudarão em proporções tais que poderão desaparecer também as últimas formas de relação (*Verkehrsformen*) da velha sociedade.

19. *Pergunta: Essa revolução poderá ser realizada em um só país?*

Resposta: Não. A grande indústria, ao criar o mercado mundial, uniu todos os povos da terra, e principalmente os povos civilizados, a tal ponto que cada povo depende daquilo que ocorre com os demais. Além disso, a grande indústria nivelou em todos os países civilizados o desenvolvimento social, a tal ponto que em todos eles a burguesia e o proletariado tornaram-se as duas classes decisivas da sociedade e a luta entre essas duas classes tornou-se a principal luta de nossos dias. Por isso, a revolução comunista não será uma revolução apenas nacional, mas ocorrerá simultaneamente em todos os países civilizados, quer dizer, pelo menos na Inglaterra, na América, na França e na Alemanha. Irá se desenvolver mais rapidamente ou mais lentamente em cada um desses países, de acordo com o maior ou menor desenvolvimento da indústria, a maior ou menor acumulação de riquezas e a maior ou menor massa de forças produtivas que possua cada um deles. Assim, na Alemanha ela será mais lenta e mais difícil, enquanto que na Inglaterra será mais rápida e mais fácil. Terá grande repercussão sobre os outros países do mundo, transformará completamente e acelerará extraordinariamente o modo de desenvolvimento por eles seguido até aqui. Será uma revolução universal e terá por isso um terreno universal.

20. *Pergunta: Quais serão as consequências da definitiva eliminação (*Beseitigung*) da propriedade privada?*

Resposta: Ao despojar os capitalistas privados da utilização de todas as forças produtivas e de todos os meios de comunicação, assim como da troca e da distribuição dos produtos, ao administrar tudo isso de acordo com um plano baseado nos recursos disponíveis e nas necessidades de toda a sociedade, a própria sociedade eliminará, antes de tudo, todas as consequências deploráveis hoje inerentes ao funcionamento da grande indústria. As crises desaparecerão; a produção ampliada, que na atual organização da sociedade representa uma superprodução e uma poderosa causa de miséria, será então muito insuficiente e deverá ser ainda muito mais aumentada. Ao invés de engendrar a miséria, a superprodução garantirá, bem mais que as necessidades imediatas da sociedade, a satisfação das necessidades de todos e engendrará novas necessidades, bem como os meios para satisfazê-las. Desse modo, será a condição e a causa de novos progressos, e os alcançará sem levar a ordem social, como antes, a transtornos periódicos. Livre das pressões da propriedade privada, a grande indústria desenvolver-se-á em proporções diante das quais seu desenvolvimento atual parecerá tão mesquinho quanto a manufatura comparada com a grande indústria moderna. Esse desenvolvimento da indústria colocará à disposição da sociedade uma massa de produtos suficiente para satisfazer as necessidades de todos. Assim também a agricultura que, pressionada pela propriedade privada e pelo fracionamento da terra, não pode apropriar-se das melhorias e dos progressos científicos já conseguidos, alcançará um novo auge e entregará à sociedade uma quantidade suficiente de produtos. Desse modo, a sociedade criará produtos suficientes para que se possa organizar a distribuição de maneira a satisfazer as necessidades de todos os seus membros. Com isso, ficará supérflua a divisão da sociedade em diferentes classes contrapostas entre si. Tal divisão, além de supérflua, será mesmo incompatível com a nova ordem social. A existência das classes tem origem na divisão do trabalho, e a divisão do trabalho, tal como existiu até agora, desaparecerá completamente. De fato, para elevar a produção industrial e agrícola ao nível acima assinalado, não bastam apenas os meios mecânicos e químicos; devem ser também desenvolvidas, na mesma proporção, as capacidades dos homens que fazem funcionar esses meios. Assim como os camponeses e os operários manufatureiros do século passado, ao serem arrastados pela grande indústria, modificaram todo o seu modo de vida e converteram-se eles mesmos em homens completamente distintos, a exploração em comum da produção por toda a sociedade e o novo desenvolvimento da produção disso decorrente necessitarão de homens totalmente novos e os criarão. A exploração em comum da produção não pode ser realizada por homens como os de hoje, cada um dos quais está subordinado a um único ramo da produção, encadeado a ele, explorado por ele, cada um dos quais desenvolveu apenas *uma* de suas capacidades à custa de todas as demais e conhece apenas *um* ramo ou o ramo de um ramo da produção total. A própria indústria atual já está cada vez menos empregando tais homens. A indústria explorada em comum e segundo um plano, por toda a sociedade, exige homens cujas capacidades estejam desenvolvidas em todos os aspectos, homens que possam abraçar todo o sistema da produção. A divisão do trabalho, que converte um em camponês, outro em sapateiro, um terceiro em operário fabril e um quarto em especulador da bolsa, e que hoje já está minada pelas máquinas, desaparecerá portanto completamente. A educação dará aos jovens a possibilidade de percorrer rapidamente todo o sistema de produção, colocando-os em condições de se deslocarem por turnos de um para outro ramo da produção, conforme as necessidades da sociedade ou suas próprias inclinações. A educação, portanto, libertará os jovens desse caráter unilateral que a atual divisão do trabalho imprime a cada indivíduo. Desse modo, a sociedade organizada sobre bases comunistas oferecerá a seus membros a oportunidade de empregar em todos os aspectos suas capacidades universalmente desenvolvidas. Mas com isso desaparecerão também, necessariamente, as diferentes classes. Assim, de uma parte, a sociedade organizada comunisticamente é incompatível com a existência das classes e, de outra parte, a instauração dessa sociedade oferece, por si só, os meios para abolir tais diferenças de classe.

Resulta disso que também desaparecerá o antagonismo entre cidade e campo. A exploração da agricultura e da indústria pelos mesmos homens, e não por duas classes diferentes, em si mesma já é, por razões puramente materiais, uma condição necessária da associação comunista. A dispersão pelo campo da população dedicada à agricultura e a concentração da população industrial nas grandes cidades correspondem a um estágio ainda não desenvolvido da agricultura e da indústria e são um obstáculo para todo desenvolvimento ulterior, obstáculo que hoje já se faz sentir com muita força.

A associação geral de todos os membros da sociedade para a exploração planificada e comum das forças produtivas, a extensão da produção em proporções que satisfaçam às necessidades de todos, o término da situação em que as necessidades de uns são satisfeitas às custas de outros, a destruição completa das classes e de seus antagonismos, o desenvolvimento universal das capacidades de todos os membros da sociedade mediante a eliminação da divisão do trabalho até agora existente, mediante a educação industrial, mediante a mudança de atividades, mediante a participação de todos nos bens criados por todos, mediante a fusão do campo e da cidade: serão esses os principais resultados da abolição (*Abschaffung*) da propriedade privada.

21. *Pergunta: Que influência a ordenação comunista da sociedade exercerá sobre a família?*

Resposta: Ela transformará a relação entre os dois sexos numa relação puramente privada, concernente apenas às pessoas nela envolvidas e na qual a sociedade não terá por que se intrometer. Poderá fazer isso porque elimina a propriedade privada e educa em comum as crianças, destruindo assim as duas bases do matrimônio atual, a saber: a dependência da mulher em relação ao homem e dos filhos em relação aos pais por meio da propriedade privada. Nisso reside igualmente a resposta à gritaria altamente moralista dos filisteus contra a comunidade comunista das mulheres. A comunidade das mulheres é uma situação totalmente ligada à sociedade burguesa e que hoje existe plenamente sob a forma da prostituição. Mas a prostituição repousa na propriedade privada e desaparecerá com ela. Portanto, ao invés de implantar a comunidade das mulheres, a organização comunista a suprimirá.

22. *Pergunta: Qual a atitude da organização comunista diante das nacionalidades existentes?*

Resposta: Permanece[52].

23. *Pergunta: Que atitude adotará diante das religiões existentes? Resposta*: Permanece[53].

24. *Pergunta: Em que os comunistas se distinguem dos socialistas?*

Resposta: Os chamados socialistas dividem-se em três classes.

A primeira delas está formada por partidários da sociedade feudal e patriarcal que foi destruída e continua a ser destruída todos os dias pela grande indústria, pelo comércio mundial e pelo produto de ambos, a sociedade burguesa. Essa classe extrai dos males da sociedade atual a conclusão de que se deve restaurar novamente a sociedade feudal e patriarcal, que estava livre desses males. Todas as suas propostas encaminham-se, direta ou indiretamente, para esse objetivo. Tal classe de socialistas *reacionários*, apesar de sua pretensa simpatia e das ardorosas lágrimas que derramam pela miséria do proletariado, será sempre combatida energicamente pelos comunistas, pelas seguintes razões:

a) porque aspira a algo absolutamente impossível;

b) porque procura restaurar a dominação da aristocracia, dos mestres-artesãos (*Zunftmeister*) e dos manufatureiros, com todo seu cortejo de reis absolutos ou feudais, funcionários, soldados e sacerdotes – uma sociedade que, é certo, estava livre dos males da sociedade atual mas que, em troca, continha pelo menos outros tantos males e nem sequer oferecia a perspectiva da emancipação dos operários oprimidos mediante uma organização comunista;

c) porque revela suas reais intenções toda vez que o proletariado se torna revolucionário e comunista, quando então se alia imediatamente à burguesia contra os proletários.

A segunda classe é composta de partidários da sociedade atual, para os quais os males que ela necessariamente engendra despertam temores quanto à existência dessa própria sociedade. Tais socialistas procuram, portanto, conservar a sociedade atual, mas eliminando os males a ela inerentes. Para alcançar isso, uns propõem simples medidas de beneficência; outros, grandiosos sistemas de reformas que, a pretexto de reorganizar a sociedade, visam de fato conservar as bases da sociedade atual e, portanto, a própria sociedade atual. Esses *socialistas burgueses* também deverão ser continuamente combatidos pelos comunistas, pois trabalham para os inimigos dos comunistas e defendem exatamente a sociedade que os comunistas querem destruir.

Finalmente, a terceira classe é composta dos socialistas democráticos, que procuram, pelo mesmo caminho dos comunistas, realizar uma parte das medidas enumeradas na resposta à pergunta 18, mas não como meios de transição ao comunismo e sim como medidas suficientes para abolir a miséria e fazer desaparecer os males da sociedade atual. Tais *socialistas democráticos* são, ou proletários ainda não suficientemente esclarecidos sobre as condições da libertação de sua classe, ou representantes da pequena burguesia, quer dizer, da classe cujos interesses, sob muitos aspectos, coincidem com os interesses dos proletários, até o momento em que se conquista a democracia e se aplicam as medidas socialistas dela derivadas. Os comunistas deverão portanto chegar a um entendimento com esses socialistas democráticos nas diferentes fases da ação e deverão em geral seguir para o momento uma política comum com eles, sempre que esses socialistas não atuarem a serviço da burguesia dominante e não atacarem os comunistas. É evidente que esse tipo de ação comum não exclui a discussão das diferenças existentes entre eles e os comunistas.

25. *Pergunta: Como se comportam os comunistas diante dos demais partidos políticos de nossa época?*

Resposta: Essa relação varia segundo os vários países. Na Inglaterra, na França e na Bélgica, onde domina a burguesia, os comunistas ainda têm, no momento, interesses comuns com os vários partidos democráticos, interesses esses que são tanto maiores quanto mais os democratas, com as medidas socialistas por eles hoje proclamadas em todas as partes, aproximam-se da meta dos comunistas, quer dizer, quanto mais clara e decididamente defendem os interesses do proletariado e quanto mais se apoiam no proletariado. Na *Inglaterra*, por exemplo, o movimento cartista, integrado por operários, está infinitamente mais próximo dos comunistas do que os pequeno-burgueses democráticos ou os chamados radicais.

Na *América*, onde está introduzida uma Constituição democrática, os comunistas deverão apoiar o partido que deseja dirigir essa Constituição contra a burguesia e utilizá-la em proveito do proletariado, quer dizer, os reformadores agrários nacionais.

Na *Suíça* os radicais, apesar de constituírem um partido muito heterogêneo, são os únicos com quem os comunistas podem se entender; e entre esses radicais, por sua vez, os mais progressistas são os dos cantões de Vaud e de Genebra.

Na *Alemanha*, por fim, ainda não ocorreu a luta decisiva entre a burguesia e a monarquia absoluta. E como os comunistas não podem contar com uma luta decisiva contra a burguesia antes que a burguesia domine, estão interessados em ajudar os burgueses a conquistarem o poder o mais cedo possível, para então derrubá-los o mais cedo possível. Os comunistas devem portanto tomar sempre partido dos burgueses liberais contra os governos, precavendo-se apenas de compartilhar as ilusões dos burgueses ou de confiar em suas sedutoras garantias de que a vitória da burguesia trará saudáveis consequências para o proletariado. As únicas vantagens que a vitória da burguesia oferecerá aos comunistas serão: a) diversas concessões que facilitarão aos comunistas a defesa, a discussão e a difusão de seus princípios e, portanto, a unificação do proletariado numa classe organizada, estreitamente unida e pronta para a luta; b) a certeza de que no dia em que caírem os governos absolutos começará a luta entre burgueses e proletários. A partir desse dia, a política partidária dos comunistas será a mesma que nos países onde já domina a burguesia.

ANEXO II
Estatutos da Liga dos Comunistas[54]

Proletários de todos os países, uni-vos!

SEÇÃO I – A Liga

Art. 1. O objetivo da Liga é a derrocada da burguesia, o domínio do proletariado, a abolição da velha sociedade burguesa baseada sobre antagonismos entre as classes e a fundação de uma nova sociedade, sem classes e sem propriedade privada.

Art. 2. As condições para dela ser membro são:

1) tipo de vida e atividade condizentes com esse objetivo;

2) energia revolucionária e empenho de propaganda;

3) profissão de fé comunista;

4) abstenção de pertencer a qualquer sociedade política ou nacional anticomunista, informando ao comitê superior a vinculação a qualquer sociedade;

5) submissão às resoluções da Liga;

6) silêncio sobre todos os assuntos da Liga;

7) admissão por unanimidade numa comuna.

Quem não preencher mais essas condições será excluído (cf. Seção VIII).

Art. 3. Todos os membros são iguais e irmãos e como tais devem ajudar-se em todas as circunstâncias.

Art. 4. Os membros usam nomes particulares para a Liga.

Art. 5. A Liga está organizada em comunas, círculos, círculos dirigentes, comitê central e congressos.

SEÇÃO II – A comuna

Art. 6. A comuna compõe-se de um mínimo de três membros e de um máximo de vinte membros.

Art. 7. Cada comuna elege um presidente e um assistente. O presidente dirige a sessão, o assistente cuida das finanças e substitui o presidente em caso de ausência.

Art. 8. A aceitação de novos membros é feita pelo presidente e pelo membro proponente, com aprovação prévia da comuna.

Art. 9. Comunas de tipo diferente são desconhecidas umas das outras e não se correspondem entre si.

Art. 10. As comunas devem usar nomes que as diferenciem.

Art. 11. Todo membro que mudar de endereço deve informar com antecedência o seu presidente.

SEÇÃO III – O círculo

Art. 12. O círculo compreende um mínimo de duas e um máximo de dez comunas.

Art. 13. Os presidentes e assistentes das comunas formam o comitê do círculo. O comitê elege um presidente entre os seus membros e mantém-se em correspondência com suas comunas e com o círculo dirigente.

Art. 14. O comitê do círculo é o poder executivo para todas as comunas do círculo.

Art. 15. Comunas isoladas devem ou associar-se a um círculo já existente ou formar um novo círculo com outras comunas isoladas.

SEÇÃO IV – O círculo dirigente

Art. 16. Os vários círculos de uma região ou de uma província estão subordinados a um círculo dirigente.

Art. 17. A divisão dos círculos da Liga em províncias e a nomeação dos círculos dirigentes são feitas pelo congresso, por proposta do comitê central.

Art. 18. O círculo dirigente é o poder executivo para todos os círculos de sua província. Está em correspondência com esses círculos e com o comitê central.

Art. 19. Os novos círculos associam-se ao círculo dirigente mais próximo.

Art. 20. Os círculos dirigentes são responsáveis provisoriamente perante o comitê central e em última instância perante o congresso.

SEÇÃO V – O comitê central

Art. 21. O comitê central é o poder executivo de toda a Liga, e como tal é responsável perante o congresso.

Art. 22. Ele é composto de pelo menos cinco membros e é eleito pelo comitê do círculo do local que o congresso estabeleceu como sede do comitê.

Art. 23. O comitê central está em correspondência com os círculos dirigentes. A cada três meses redige um relatório sobre a situação de toda a Liga.

SEÇÃO VI – Disposições gerais

Art. 24. As comunas, os comitês de círculo e o comitê central reúnem-se pelo menos uma vez a cada quinze dias.

Art. 25. Os membros dos comitês de círculo e do comitê central são eleitos por um ano, são reelegíveis e podem ser destituídos por seus eleitores a qualquer momento.

Art. 26. As eleições ocorrem no mês de setembro.

Art. 27. Os comitês de círculo devem dirigir as discussões das comunas segundo os objetivos da Liga.

Se a discussão de certos problemas é considerada de interesse geral e imediato do comitê central, este deve convidar toda a Liga para tal discussão.

Art. 28. Cada membro da Liga deve corresponder-se com seus comitês de círculo pelo menos uma vez por trimestre, e cada comuna pelo menos uma vez por mês.

Todo círculo deve enviar pelo menos uma vez por bimestre ao círculo dirigente, e todo círculo dirigente pelo menos uma vez por trimestre ao comitê central, relatório sobre o próprio distrito.

Art. 29. Toda instância da Liga é obrigada a tomar as medidas oportunas para a segurança e a atividade enérgica da Liga, dentro dos limites dos estatutos, sob sua própria responsabilidade e informando imediatamente a autoridade superior.

SEÇÃO VII – O congresso

Art. 30. O congresso é o poder legislativo de toda a Liga. Todas as propostas de modificação dos estatutos serão enviadas ao comitê central através dos círculos dirigentes, e pelo comitê central apresentadas ao congresso.

Art. 31. Cada círculo envia um delegado.

Art. 32. Cada círculo singular envia um delegado para cada 30 membros, dois para cada 60, três para cada 90, etc. Os círculos podem se fazer representar por membros da Liga não pertencentes à sua localidade.

Neste caso, devem remeter a seu delegado um mandato detalhado.

Art. 33. O congresso se reúne no mês de agosto de cada ano. Em casos urgentes o comitê central convoca um congresso extraordinário.

Art. 34. O congresso determina a cada vez o local onde deverá ter sede o comitê central no ano seguinte e o local onde se reunirá o próprio congresso da próxima vez.

Art. 35. O comitê central participa das sessões do congresso, mas sem voto deliberativo.

Art. 36. Após cada sessão o congresso publica, além de sua circular, um manifesto em nome do partido.

SEÇÃO VIII – Delitos contra a Liga

Art. 37. Quem viola as condições para ser membro da Liga (*Art. 2*) é, segundo as circunstâncias, suspenso ou expulso da Liga.

A expulsão exclui a readmissão.

Art. 38. Somente o congresso decide sobre as demissões.

Art. 39. O círculo ou a comuna isolada podem suspender seus membros, desde que avisem imediatamente a autoridade superior. Também nesta matéria o congresso decide em última instância.

Art. 40. A readmissão dos membros suspensos é feita pelo comitê central por proposta do círculo.

Art. 41. O comitê do círculo julga os delitos contra a Liga e assegura a execução da sentença.

Art. 42. Os indivíduos suspensos ou expulsos, bem como todos os suspeitos, devem ser vigiados em nome da Liga e postos em situação de não poderem causar danos. As intrigas de tais pessoas devem ser imediatamente denunciadas à respectiva comuna.

SEÇÃO IX – Finanças da Liga

Art. 43. O congresso fixa para cada região uma contribuição mínima a ser paga por todos os membros.

Art. 44. Metade dessa contribuição é destinada ao comitê central; a outra metade permanece no círculo ou na comuna.

Art. 45. Os fundos do comitê central são usados para:

a) cobrir as despesas de correspondência e de administração;

b) impressão e difusão de opúsculos de propaganda;

c) envio de emissários do comitê central para fins determinados.

Art. 46. Os fundos dos comitês locais são usados para:

a) cobrir as despesas de correspondência;

b) impressão e difusão de opúsculos de propaganda;

c) envio de emissários ocasionais.

Art. 47. As comunas e os círculos que durante seis meses não enviaram suas contribuições ao comitê central serão por este comunicados de sua suspensão da Liga.

Art. 48. Os comitês de círculo devem apresentar às suas comunas a prestação de contas das entradas e das saídas, pelo menos a cada três meses. O comitê central apresenta ao congresso a prestação de contas da administração dos fundos da Liga e a situação financeira da Liga. Toda apropriação indébita de fundos da Liga será severamente punida.

Art. 49. As despesas do congresso e as despesas extraordinárias são cobertas por contribuições extraordinárias.

SEÇÃO X – Admissão

Art. 50. O presidente da comuna lê para o candidato os artigos de 1 a 49, comenta-os, destaca, num breve discurso, os deveres que assumem os que ingressam na Liga e pergunta: "Você quer, nessas condições, entrar na Liga?" Se o indivíduo responde "sim", o presidente pede sua palavra de honra de que cumprirá as obrigações de membro da

Liga, declara-o membro dela e na sessão seguinte o introduz na comuna.

Em nome do segundo congresso do outono de 1847,

O Secretário
Engels
O Presidente
*Karl Schappe*r[55]

Londres, 8 de dezembro de 1847.

ANEXO III
As reivindicações do Partido Comunista na Alemanha
(Março, 1848)[56]

Proletários de todos os países, uni-vos!

1. Toda a Alemanha deve ser proclamada república una e indivisível.

2. Todo alemão que tenha completado 21 anos de idade deve poder votar e ser eleito, desde que não tenha sofrido nenhuma pena infamante.

3. Os representantes do povo devem ser remunerados, para que também os operários possam ter assento no parlamento do povo alemão.

4. Armamento geral do povo. No futuro, os exércitos serão ao mesmo tempo exércitos de operários, de forma que o exército não será mais, como no passado, apenas consumidor, mas produzirá em quantidade até mesmo superior às despesas para com sua própria manutenção.

5. O exercício da justiça deve ser gratuito.

6. Todas as obrigações feudais, todas as imposições, taxas, dízimos etc., que até agora pesaram sobre a população rural, devem ser abolidas sem qualquer indenização.

7. As terras dos príncipes e as outras propriedades fundiárias feudais, bem como todas as minas, jazidas, etc., devem ser transformadas em proprie-

dade do Estado. Nestas terras organizar-se-á a agricultura em larga escala e com recurso aos mais modernos processos científicos, no interesse da coletividade.

8. As hipotecas sobre as terras dos camponeses devem ser declaradas propriedade do Estado; os camponeses pagarão ao Estado os juros destas hipotecas.

9. Nas regiões em que está difundido o sistema de aluguéis, os tributos agrícolas ou o aluguel da terra deverão ser pagos ao Estado como imposto.

Todas as providências indicadas nos itens 6, 7, 8 e 9 têm o propósito de diminuir os encargos públicos e demais ônus que pesam sobre camponeses e pequenos arrendatários, sem reduzir os recursos necessários para cobrir as despesas do Estado e sem comprometer a própria produção.

10. Um banco estatal deve substituir todos os bancos privados. Sua moeda terá curso legal.

Esta medida permitirá regular o crédito conforme o interesse de *todo* o povo e enfraquecerá assim a dominação dos grandes financeiros. Substituindo gradualmente o ouro e a prata pelo papel-moeda, reduzirá o preço do instrumento indispensável do comércio burguês, do meio geral de troca, além de preservar ouro e prata para eficaz emprego no comércio exterior. Esta medida, enfim, é necessária para vincular à revolução os interesses do burguês conservador.

11. Todos os meios de transporte – ferrovias, canais, navios, estradas, estações, etc. – devem ser encampados pelo Estado. Serão transformados em propriedade do Estado e colocados gratuitamente à disposição da classe privada de meios.

12. Na remuneração de todos os funcionários do Estado não deve existir outra distinção que esta: os que têm família, portanto maiores necessidades, devem também receber um salário superior ao dos demais.

13. Separação completa entre Igreja e Estado. Ministros de todos os credos devem ser pagos exclusivamente por suas congregações.

14. Limitação do direito de herança.

15. Introdução de impostos fortemente progressivos e abolição dos impostos sobre o consumo.

16. Instituição de oficinas nacionais. O Estado deve garantir a subsistência a todos os trabalhadores e a assistência aos incapacitados para o trabalho.

17. Instrução pública geral e gratuita.

É do interesse do proletariado alemão, da pequena burguesia e dos pequenos camponeses um trabalho enérgico em favor da efetivação das medidas acima enumeradas. Somente através desta efetivação, de fato, os milhões de homens que até hoje são explorados na Alemanha por uma pequena minoria e que se procurará ainda manter oprimidos, poderão obter os direitos e o poder que lhes são inerentes como produtores de toda a riqueza.

Março de 1848

O Comitê: *Karl Marx, Karl Schapper, H. Bauer, F. Engels, J. Moll, W. Wolff*[57]

ANEXO IV
Para a história da Liga dos Comunistas[58]

Friedrich Engels

Com a condenação dos comunistas de Colônia em 1852, cai o pano sobre o primeiro período do movimento autônomo dos operários alemães. Esse período está hoje quase esquecido. No entanto, durou de 1836 a 1852 e atuou em quase todos os países civilizados, em consequência da larga disseminação dos operários alemães pelo exterior. E não é só. O hodierno movimento operário internacional é em essência uma continuação direta do movimento operário alemão daquela época, que foi de modo geral o *primeiro movimento operário internacional* e do qual saíram muitos dos homens que iriam ocupar postos de direção na Associação Internacional dos Trabalhadores. Além disso, os princípios teóricos que a Liga dos Comunistas inscreveu em sua própria bandeira no *Manifesto Comunista* de 1847 formam hoje o mais forte vínculo internacional que une todo o movimento proletário da Europa e da América.

Até agora existe apenas uma fonte segura para a elaboração de uma história orgânica daquele movimento. É o assim chamado livro negro: *As conspirações comunistas do século XIX*, de Wermuth e Stieber, Berlim, 2 partes, 1853 e 1854. Essa elucubração, compilada por meio de mentiras por dois dos mais miseráveis canalhas policiais e repleta de conscientes falsificações, serve ainda hoje de fonte suprema para todos os escritores não comunistas sobre aquele período.

O que posso oferecer aqui é apenas um esboço, e mesmo ele limitado à parte que diz respeito à própria Liga; e apenas ao estritamente necessário para compreender as *Revelações*. Espero que ainda me seja possível elaborar um dia o rico material recolhido por Marx e por mim a respeito da história daqueles gloriosos anos juvenis do movimento operário internacional.

Da "Liga dos Proscritos", associação secreta democrático-republicana fundada em Paris no ano de 1834 por refugiados alemães, separaram-se em 1836 os elementos mais radicais, quase todos proletários, e fundaram uma nova associação secreta, a "Liga dos Justos" (*Bund der Gerechten*). A Liga original, na qual permaneceram apenas os elementos mais sonolentos do tipo de Jakobus Venedey[59], logo adormeceu por completo; quando em 1840 a polícia descobriu na Alemanha o rastro de algumas de suas seções, ela não era mais do que uma sombra. A nova Liga, em compensação, desenvolveu-se com relativa rapidez. No início, era apenas um filhote alemão do comunismo operário francês, que se estava formando em Paris, naquela época, vinculado às tradições do babeuvismo[60]. Postulava-se a comunidade dos bens como "consequência necessária da igualdade". Seus objetivos eram os das sociedades secretas então existentes em Paris. Era uma associação metade de propaganda, metade de conspiração; e embora não estivesse de fato excluída a preparação de eventuais golpes de mão na Alemanha, sempre se considerava Paris como o centro da ação revolucionária. Mas como, naquela época, Paris era o campo de batalha decisivo, a Liga não passava na realidade de um ramo alemão das sociedades secretas francesas, especialmente da "Société des Saisons"[61] dirigida por Blanqui e Barbes, à qual estava intimamente ligada. Os franceses lançaram-se às ruas a 12 de maio de 1839; as seções da Liga marcharam a seu lado e foram assim arrastadas à derrota comum.

Dos alemães foram detidos especialmente Karl Schapper e Heinrich Bauer; o governo de Luís Filipe contentou-se em expulsá-los após demorada prisão. Dirigiram-se ambos a Londres. Schapper, oriundo de Weilberg (Nassau), em 1832 estudante de ciências florestais em Giessen e membro da conspiração organizada por Georg Büchner, tinha tomado parte no assalto ao posto de polícia de Frankfurt em 3 de abril de 1833 e, fugindo para o exterior, participara em fevereiro de 1834 da expedição de Mazzini através da Savoia[62]. Gigante no aspecto, resoluto e enérgico, sempre disposto a arriscar a existência burguesa e a vida, Schapper era o modelo acabado do revolucionário profissional que teve uma certa função entre 1830 e 1840. Embora não possuísse grande elasticidade mental, estava longe de ser um homem fechado à compreensão profunda dos problemas teóricos, como o demonstra sua própria evolução de "demagogo"[63] a "comunista"; depois que compreendia e aceitava uma coisa, aferrava-se a ela com a maior firmeza. Precisamente por isso, sua paixão revolucionária às vezes entrava em choque com sua inteligência; mas sempre, no entanto, compreendia seu erro e sabia reconhecê-lo abertamente. Era verdadeiramente um homem e jamais será esquecido o quanto fez pela fundação do movimento operário alemão.

Heinrich Bauer, natural da Francônia, era sapateiro; um homenzinho vivaz, esperto e engenhoso, cujo corpo miúdo continha tanta astúcia quanto resolução.

Uma vez em Londres, onde Schapper, que fora tipógrafo em Paris, procurava ganhar a vida dando aulas de língua, ambos se dedicaram a restabelecer as ligações rompidas da Liga, fazendo de Londres o centro da organização. Aqui, se não antes em Paris, a eles se uniu Joseph Moll, relojoeiro de Colônia, de estatura mediana, mas força hercúlea – quantas vezes ele e Schapper defenderam vitoriosamente a porta de uma sala contra a pressão de centenas de adversários! –, homem que, igualando-se pelo menos a seus dois companheiros em energia e resolução, superava a ambos em inteligência. Não apenas era um diplomata nato, como o demonstraram os êxitos de suas numerosas missões; tinha também o espírito mais aberto à compreensão teórica. Conheci-os todos os três em Londres em 1843. Eram os primeiros revolucionários que via. E apesar de nossas opiniões divergirem muito, naquela época, quanto a detalhes – pois a seu limitado comunismo igualitário* eu opunha, ainda então, uma boa dose de arrogância filosófica não menos limitada – jamais esquecerei a formidável impressão que me causaram aqueles três homens de verdade, justamente no momento em que eu apenas começava a querer tornar-me homem.

Em Londres, como em menor medida na Suíça, eles se beneficiaram da liberdade de reunião e associação. A 7 de fevereiro de 1840 foi fundada a Associação Educacional dos Trabalhadores Alemães, que existe ainda hoje[64]. Ela servia como base de recrutamento de novos membros para a Liga, e desde que os comunistas eram, como sempre, seus sócios mais ativos e mais inteligentes, compreende-se facilmente que a direção da Associação estivesse inteiramente nas mãos da Liga. Em pouco tempo a Liga passou a contar em Londres com várias comunidades, ou "cabanas", como se chamavam ainda naquela época. Essa mesma tática, óbvia e natural nas condições então existentes, era aplicada na Suíça e em outros países. Onde era possível fundar associações operárias, foram elas utilizadas dessa mes-

---

* *Entendo por comunismo igualitário, como foi dito acima, apenas aquele comunismo que se apoia exclusiva ou predominantemente no postulado da igualdade* [Nota de Engels].

ma maneira. Onde as leis o proibiam, os membros da Liga ingressavam nas sociedades de canto coral, de ginástica, etc. A ligação fazia-se quase sempre através dos membros que chegavam e partiam continuamente e que, quando necessário, também agiam como emissários. Em ambos os aspectos a Liga foi fortemente auxiliada pela sabedoria dos governos, que transformavam em emissário, mediante a expulsão, todo operário indesejável, e em 90% dos casos tratava-se de um membro da Liga.

A Liga reconstituída teve uma difusão considerável, sobretudo na Suíça, onde Weitling, August Becker (um talento magnífico, que se deixou perder, como tantos alemães, por falta de estabilidade interior) e outros criaram uma forte organização vinculada mais ou menos estreitamente ao comunismo de Weitling. Não é esse o lugar indicado para criticar o comunismo de Weitling. No que se refere, porém, à sua importância como primeira manifestação teórica autônoma do proletariado alemão subscrevo ainda hoje as palavras de Marx no *Vorwärts* parisiense de 1844: "Onde poderia ela (a burguesia alemã), aí compreendidos os seus filósofos e os seus exegetas de sábias escrituras, apresentar uma obra relativa à emancipação da burguesia – à emancipação política – como as *Garantias da Harmonia e da Liberdade*, de Weitling? Se se compara a árida e tímida mediocridade da literatura política alemã com essa sublime e brilhante estreia dos operários alemães; se se comparam esses *gigantescos sapatos de criança do proletariado* com as minúsculas dimensões dos desgastados sapatos políticos da burguesia, será necessário profetizar uma estatura de atleta para esta cinderela"[65]. Hoje esta figura de atleta está diante de nossos olhos, embora ainda esteja bem longe de ter alcançado a plenitude de seu crescimento.

Na Alemanha também existiam numerosas seções de caráter fugaz, como correspondia ao estado de coisas existente; mas as seções que surgiam compensavam amplamente as que desapareciam. Só depois de sete anos, em fins de 1846, pôde a polícia descobrir rastros da Liga em Berlim (Mentel) e em Magdeburgo (Beck), sem que lhe fosse possível segui-los ulteriormente.

Weitling, que em 1840 ainda se encontrava em Paris, reagrupou ali os elementos dispersos, antes de se transferir para a Suíça.

O grupo nuclear da Liga eram os alfaiates. Na Suíça, em Londres, em Paris, por toda parte havia alfaiates alemães. Em Paris, o alemão tinha se imposto a tal ponto como idioma dominante neste ramo industrial que em 1846 conheci ali um alfaiate norueguês que chegara à França em viagem direta, por mar, desde Trondhjem, e que ao cabo de 18 meses sabia apenas uma palavra de francês, mas aprendera magnificamente o alemão. Das três comunas existentes em Paris em 1846, duas estavam constituídas predominantemente por alfaiates e uma por marceneiros.

Ao se deslocar de Paris para Londres o centro de gravidade da organização, um novo fator passou a primeiro plano: de organização alemã que era, a Liga foi-se convertendo pouco a pouco em *internacional*. Além dos alemães e dos suíços, congregavam-se na associação operária todas aquelas nacionalidades às quais o idioma alemão servia predominantemente como meio de comunicação com os estrangeiros, isto é, escandinavos, holandeses, húngaros, tchecos, eslavos do sul e ainda russos e alsacianos. Em 1847 participava assiduamente da Associação, entre outros, um granadeiro da guarda inglesa, que comparecia de uniforme às reuniões. A Associação não tardou a se chamar Associação *Comunista* de Educação Operária, e nas carteiras de filiação a divisa "Todos os homens são irmãos" estava escrita em vinte idiomas pelo menos, embora com uma ou outra falha ortográfica. Da mesma forma que a Associação pública, a Liga secreta passou em seguida a ter também um caráter mais internacional. A princípio num sentido ainda limitado: do ponto de vista prático, pelas diferentes nacionalidades de seus aderentes; do ponto de vista teórico, pela consciência de que toda revolução, para triunfar, tinha que ser uma revolução europeia. Não se ia ainda além disso, mas a base ficara assentada.

Com os revolucionários franceses era mantido um estreito contato através dos refugiados de Londres, companheiros de armas nos combates de 12 de maio de 1839. Também se mantinha contato com os poloneses mais radicais. A emigração polonesa oficial, tanto quanto Mazzini, era naturalmente bem mais adversária que aliada. Os cartistas ingleses foram deixados de lado como elementos não revolucionários, dado o caráter especificamente inglês de seu movimento. Apenas mais tarde, por meu intermédio, os dirigentes londrinos da Liga estabeleceram relações com eles.

No curso dos acontecimentos o caráter da Liga foi modificado também em outros aspectos. Embora se continuasse a considerar Paris – e nessa época com toda a razão – como a pátria da revolução, já não se dependia mais dos conspiradores parisienses. A difusão da Liga contribuiu para elevar sua autoconsciência. Sentia-se que o movimento criava cada vez mais raízes na classe operária alemã e que estes operários alemães estavam historicamente chamados a ser os arautos dos operários do norte e do leste da Europa. Em Weitling tinha-se um teórico comunista que se podia comparar com seus concorrentes franceses da época. Por fim, a experiência do 12 de maio ensinara que já era hora de renunciar aos golpes de mão. E embora se continuasse a interpretar cada acontecimento como sinal da tormenta que se aproximava e embora se mantivessem em vigor os antigos estatutos semiconspirativos, isso se devia principalmente à velha obstinação revolucionária, que já começava a se chocar com uma concepção melhor acabada, na medida em que essa ia se impondo.

Em compensação, a doutrina social da Liga, apesar de vaga e indeterminada, manifestava um enorme defeito, fundado porém nas próprias circunstâncias. Os membros da Liga, embora em geral operários, eram na realidade quase exclusivamente artesãos. O homem que os explorava era, inclusive nas grandes metrópoles, na maior parte dos casos apenas um pequeno mestre-artesão. Na própria alfaiataria, a exploração em grande escala, a assim chamada indústria de confecções, baseada na transformação da alfaiataria artesanal em indústria a domicílio por conta de um grande capitalista, estava naquela época, mesmo em Londres, apenas no início. De um lado, o explorador desses artesãos era um pequeno mestre-artesão, de outro lado os próprios artesãos esperavam se converter, por sua vez, em pequenos mestres-artesãos. Além disso, os artesãos alemães daquela época estavam também afetados por uma massa de ideias corporativas tradicionais. E é algo que honra bastante esses artesãos – que ainda não eram proletários no verdadeiro sentido da palavra, mas apenas um apêndice da pequena burguesia em vias de se transformar no moderno proletariado, apêndice que ainda não se achava em contraposição direta à burguesia, isto é, ao grande capital – o fato de terem sido capazes de se antecipar instintivamente à sua evolução futura e de se constituir, embora não com plena consciência, em partido do proletariado. Mas era também inevitável que seus velhos preconceitos de artesãos se enredassem em suas pernas toda vez que se tratava de criticar de modo concreto a sociedade existente, isto é, de analisar fatos econômicos. E não creio que no conjunto da Liga existisse um único homem que tivesse lido um livro de economia. Mas isso pouco importava; a "igualdade", a "fraternidade" e a "justiça" bastavam naquele momento para superar todo e qualquer obstáculo teórico.

Nesse ínterim, viera se formando junto ao comunismo da Liga e de Weitling um segundo comunismo, substancialmente diferente. Vivendo em Manchester, eu havia me dado conta de que os fatos econômicos, que até então não tinham recebido qualquer importância ou apenas uma importância muito secundária por parte da historiografia, são uma potência histórica decisiva, pelo menos no mundo moderno; que eles constituem a base sobre a qual nascem os hodiernos antagonismos de classe; e que esses antagonismos de classe, por sua vez, nos países em que, graças à grande indústria, se acham plenamente desenvolvidos, como principalmente na Inglaterra, constituem a base para a formação dos partidos políticos, das lutas entre os partidos e portanto de toda a história política. Marx não só tinha chegado a essa mesma opinião, como já a havia generalizado nos *Deutsch-französische Jahrbücher* (1844)[66], no sentido de que não é o Estado que condiciona e regula a sociedade civil, mas a sociedade civil que condiciona e regula o Estado, e de que, portanto, a política e a sua história devem ser explicadas à base das relações econômicas e de seu desenvolvimento, e não inversamente. Quando no verão de 1844 visitei Marx em Paris, ficou patente nosso completo acordo em todos os campos teóricos, e data de então nosso trabalho comum. Quando voltamos a nos reunir em Bruxelas na primavera de 1845, Marx, partindo dos princípios básicos acima assinalados, já havia desenvolvido plenamente, nas linhas fundamentais, a sua concepção materialista da história, e nos pusemos então a elaborar a nova concepção em detalhe e nas mais diversas direções.

Mas essa descoberta, que revolucionava a ciência histórica e que, como se vê, é essencialmente obra de Marx e na qual só posso a mim atribuir uma parte muito pequena, foi de uma importância imediata para o movimento operário da época. Agora, o comunismo dos franceses e dos alemães, bem como o cartismo dos ingleses, já não apareciam mais como algo casual, que poderia inclusive não existir. Esses movimentos apresentavam-se agora como um movimento da moderna classe oprimida, do proletariado, como formas mais ou menos desenvolvidas da luta historicamente necessária dessa classe contra a classe dominante, a burguesia; como formas de luta de classes, mas distintas de todas as lutas de classes precedentes pelo fato de que a classe oprimida atual, o proletariado, não pode completar a própria emancipação sem emancipar ao mesmo tempo toda a sociedade da divisão em classes e portanto da luta entre as classes. E agora o comunismo não mais significava a invenção, por obra da fantasia, de um ideal de sociedade a mais perfeita possível, mas sim a compreensão da natureza, das condições e, como consequência disso, dos objetivos gerais da luta travada pelo proletariado.

Mas em hipótese alguma nossa intenção era sussurrar em gordos volumes os novos resultados científicos exclusivamente para o mundo dos "eruditos". Ao contrário. Estávamos ambos já profundamente inseridos no movimento político, tínhamos alguns seguidores no mundo culto, sobretudo na Alemanha ocidental, e amplos contatos com o proletariado organizado. Tínhamos o dever de fundamentar cientificamente a nossa concepção, mas considerávamos igualmente importante conquistar para nossas convicções o proletariado europeu, e num primeiro momento o alemão. Tão logo deixamos claras para nós mesmos as nossas ideias, pusemo-nos a trabalhar. Em Bruxelas, fundamos uma associação operária alemã[67] e nos tornamos donos da *Deutsche-Brüsseler Zeitung*[68], que nos serviu como órgão de imprensa até a revolução de fevereiro. Mantínhamos contatos com o setor revolucionário dos cartistas ingleses através de Julian Harney, diretor do órgão central do movimento, *The Northern Star*, no qual eu colaborava. Formávamos também uma espécie de bloco com os democratas de Bruxelas (Marx era vice-presidente da Associação democrática)[69] e com os democratas sociais franceses de *La Réforme,* jornal para o qual eu fornecia notícias sobre o movimento inglês e alemão. Numa palavra, nossas ligações com as organizações e os jornais radicais e proletários eram exatamente as que desejávamos[70].

Nossas relações com a Liga dos Justos eram as seguintes. Conhecíamos, é claro, a existência da Liga; em 1843, Schapper propusera-me que nela ingressasse, mas naquela época eu naturalmente não aceitei. No entanto, não apenas mantínhamos correspondência assídua com os londrinos, como estávamos em contato ainda mais estreito com o Doutor Ewerbeck[71], então dirigente das comunas de Paris. Sem nos envolvermos com os assuntos internos da Liga, estávamos informados de tudo o que nela ocorria de importante. Além disso, influenciávamos verbalmente, por carta e através da imprensa, as opiniões teóricas dos mais destacados membros da Liga. Também utilizamos para isso diversas circulares litografadas, que mandávamos a nossos amigos e correspondentes do mundo inteiro em certas ocasiões especiais, quando então se examinavam questões internas do partido comunista em gestação. Tais circulares referiam-se às vezes à própria Liga. Assim, por exemplo, um jovem estudante westfaliano chamado Hermann Kriege apresentara-se na América do Norte como emissário da Liga, associara-se ao louco Harro-Harring para revolucionar por intermédio da Liga a América do Sul, e fundara um jornal no qual pregava, em nome da Liga, um comunismo adocicado baseado no "amor", saturado de amor e transbordante de amor por todos os lados. Nós nos opusemos firmemente a isso, numa circular que não deixou de surtir efeito. Kriege desapareceu do cenário da Liga[72].

Mais tarde, Weitling apresentou-se em Bruxelas. Já não era, porém, aquele jovem e ingênuo ajudante de alfaiate que, assombrado com o próprio talento, esforçava-se para descobrir como seria uma futura sociedade comunista. Era o grande homem que se julgava perseguido por sua superioridade pelos invejosos, que por toda parte via rivais, inimigos secretos e ciladas; era o profeta caçado de país em país, que trazia no bolso a receita para fazer descer o céu sobre a terra e imaginava que todos quisessem roubá-la. Em Londres já entrara em choque com o pessoal da Liga e em Bruxelas, onde Marx e sua mulher o haviam acolhido com uma paciência quase sobre-humana, também não conseguira entender-se com ninguém. Por isso, viajou logo depois para a América, para lá tentar a profissão de profeta.

Todas essas circunstâncias contribuíram para a silenciosa transformação que se fora operando na Liga, particularmente entre os dirigentes de Londres. Tornava-se cada vez mais evidente para eles o quanto era inconsistente a concepção de comunismo que imperava até então, tanto a do comunismo igualitário francês, de caráter muito primitivo, como a do comunismo weitlinguiano. A tentativa de Weitling de fazer o comunismo remontar ao cristianismo primitivo – apesar dos geniais detalhes existentes em seu "evangelho dos pobres pecadores" – havia feito com que, na Suíça, grande parte do movimento caísse nas mãos de malucos como Albrecht e, depois, de charlatães aproveitadores como Kuhlmann. O "verdadeiro socialismo" difundido por alguns literatos, tradução da fraseologia socialista francesa para um precário alemão hegeliano e para um adocicado sentimentalismo (cf. no *Manifesto comunista* o capítulo sobre o socialismo alemão ou o "verdadeiro" socialismo), que Kriege e as leituras das obras em questão haviam introduzido na Liga, tinha forçosamente que despertar, por sua impotência contemplativa, a repugnância dos velhos revolucionários da Liga. Diante das ideias teóricas até então dominantes, diante dos desvios práticos delas derivados, compreendia-se cada vez melhor em Londres que Marx e eu tínhamos razão com a nossa nova teoria. Tal compreensão foi inegavelmente favorecida pela presença, entre os dirigentes londrinos, de dois homens que superavam consideravelmente os já mencionados quanto à capacidade teórica: o miniaturista Karl Pfänder, de Heiltaronn, e o alfaiate Georg Eccarius, da Turíngia*.

Resumindo, na primavera de 1847 Moll apresentou-se a Marx em Bruxelas e logo depois a mim em Paris para, em nome de seus companheiros, convidar-nos novamente a ingressar na Liga. Disse-nos que estavam convencidos não só da justeza geral de nossa concepção, mas também da necessidade de libertar a Liga das velhas tradições e formas conspirativas. Que, se concordássemos em nela ingressar, nos seria dada a oportunidade, num congresso da Liga, de expor nosso comunismo crítico num manifesto que, em seguida, seria publicado como manifesto da Liga; e que poderíamos também contribuir para a substituição da envelhecida organização da Liga por outra nova, mais adequada à época e aos objetivos visados.

Não tínhamos a menor dúvida de que a classe operária alemã necessitava de uma organização, ainda que apenas por razões de propaganda, e que essa organização, na medida em que não fosse puramente local, deveria ser obrigatoriamente secreta, mesmo fora da Ale-

---

* *Pfänder [1818-1876] morreu em Londres há uns oito anos. Era um homem de fina inteligência, um espírito agudo, irônico, dialético. Eccarius [1818-1889] foi mais tarde, durante muitos anos, como se sabe, secretário do Conselho Geral da Associação Internacional dos Trabalhadores, do qual faziam parte, entre outros, vários antigos membros da Liga: Eccarius, Pfänder, Lessner, Lochner, Marx e eu. Mais tarde, Eccarius consagrou-se exclusivamente ao movimento sindical inglês* [Nota de Engels].

manha. Pois bem, na Liga tínhamos precisamente essa organização. E se o que ela tivera até então de censurável era agora abandonado como errôneo por seus próprios representantes e eles mesmos nos convidavam para colaborar em sua reorganização, como poderíamos nos recusar? Ingressamos, pois, na Liga; Marx formou uma comuna em Bruxelas com nossos amigos mais próximos, e eu passei a visitar as três comunas de Paris.

No verão de 1847 realizou-se em Londres o primeiro Congresso da Liga, ao qual W. Wolff compareceu representando as comunas de Bruxelas e eu as de Paris. Nesse congresso efetivou-se, antes de tudo, a reorganização da Liga. Suprimiu-se o que ainda restava dos velhos termos místicos da época conspirativa; a Liga organizou-se em comunas, círculos, círculos dirigentes, comitê central e congresso, e passou, a partir de então, a chamar-se Liga dos Comunistas. "O objetivo da Liga é a derrocada da burguesia, o domínio do proletariado, a abolição da velha sociedade burguesa baseada sobre antagonismos entre as classes e a fundação de uma nova sociedade, sem classes e sem propriedade privada". Esse o texto do artigo primeiro de seus novos estatutos. Quanto à organização, era absolutamente democrática, com comitês eleitos e destituíveis a qualquer momento, o que bastava para fechar a porta a todas as veleidades conspirativas, que sempre exigem um regime de ditadura, e para transformar a Liga – ao menos nos períodos normais de paz – numa simples sociedade de propaganda. Esses novos estatutos – veja-se quão democraticamente procedia-se então – foram submetidos às comunas para discussão e depois reexaminados no segundo Congresso, que os aprovou definitivamente em 8 de dezembro de 1847. Estão reproduzidos na obra de Wermuth e Stieber, I, p. 239, apêndice X[73].

O segundo congresso realizou-se em fins de novembro e princípios de dezembro do mesmo ano. A ele Marx também compareceu e defendeu a nova teoria num debate prolongado – o congresso durou pelo menos dez dias. Foram enfim eliminadas todas as dúvidas e objeções, os novos princípios foram aprovados por unanimidade e Marx e eu recebemos o encargo de redigir o manifesto. Assim o fizemos, imediatamente. Poucas semanas antes da revolução de fevereiro, enviamos o *Manifesto* a Londres para ser impresso. A partir de então, tem dado a volta ao mundo, está traduzido em quase todos os idiomas e serve ainda hoje de guia para o movimento proletário nos mais diferentes países. A antiga divisa da Liga – "Todos os homens são irmãos" – foi substituída pelo novo grito de guerra: "Proletários de todos os países, uni-vos!", que proclamava abertamente o caráter internacional da luta. Dezessete anos mais tarde, esse grito de guerra ecoou por todo o mundo como grito de guerra da Associação Internacional dos Trabalhadores, e hoje está inscrito nas bandeiras do proletariado militante de todos os países.

Estalou a revolução de fevereiro. O comitê central de Londres transferiu imediatamente seus poderes ao círculo dirigente de Bruxelas. Tal decisão, no entanto, só chegou a Bruxelas quando a cidade já se achava de fato em estado de sítio, e quando particularmente os alemães já não podiam mais reunir-se em parte alguma. Como todos estávamos prontos para nos transferir para Paris, o novo comitê central decidiu, por sua vez, dissolver-se, transmitir para Marx todos os seus poderes e autorizá-lo a constituir imediatamente em Paris um novo comitê central. Mal se tinham separado as cinco pessoas que haviam acabado de tomar essa decisão (era o dia 3 de março de 1848), a polícia irrompeu na casa de Marx, prendendo-o e o obrigando a viajar no dia seguinte para a França, isto é, precisamente para onde tinha a intenção de ir.

Em pouco tempo voltamos todos a nos reunir em Paris. Ali se redigiu o seguinte documento, assinado pelos membros do novo comitê central, documento esse que se difundiu por toda a Alemanha e no qual, ainda hoje, diversas pessoas podem aprender alguma coisa:

As reivindicações do Partido Comunista na Alemanha[74]

1. Toda a Alemanha deve ser proclamada república una e indivisível.

3. Os representantes do povo devem ser remunerados, para que também os operários possam ter assento no parlamento do povo alemão.

4. Armamento geral do povo.

7. As terras dos príncipes e as outras propriedades fundiárias feudais, bem como todas as minas, jazidas, etc., devem ser transformadas em propriedade do Estado. Nestas terras organizar-se-á a agricultura em larga escala e com recurso aos mais modernos processos científicos, no interesse da coletividade.

8. As hipotecas sobre as terras dos camponeses devem ser declaradas propriedade do Estado; os camponeses pagarão ao Estado os juros dessas hipotecas.

9. Nas regiões em que está difundido o sistema de aluguel, os tributos agrícolas ou o aluguel da terra deverão ser pagos ao Estado como imposto.

11. Todos os meios de transporte – ferrovias, canais, navios, estradas, estações, etc. – devem ser encampados pelo Estado. Serão transformados em propriedade do Estado e colocados gratuitamente à disposição da classe privada de meios.

14. Limitação do direito de herança.

15. Introdução de impostos fortemente progressivos e abolição dos impostos sobre o consumo.

16. Instituição de oficinas nacionais. O Estado deve garantir a subsistência a todos os trabalhadores e a assistência aos incapacitados para o trabalho.

17. Instrução pública geral e gratuita.

É do interesse do proletariado alemão, da pequena burguesia e dos pequenos camponeses um trabalho enérgico em favor da efetivação das medidas acima enumeradas. Somente através desta efetivação, de fato, os milhões de homens que até hoje são explorados na Alemanha por uma pequena minoria e que se procurará ainda manter oprimidos poderão obter os direitos e o poder que lhes são inerentes como produtores de toda a riqueza.

O Comitê: *Karl Marx, Karl Schapper, H. Bauer, F. Engels, J. Moll, W. Wolff*

Em Paris havia naquela época a mania das legiões revolucionárias. Espanhóis, italianos, belgas, holandeses, poloneses, alemães juntavam-se em blocos para libertar suas respectivas pátrias. A legião alemã era dirigida por Herwegh, Bornstedt e Börnstein. Os operários estrangeiros acorriam em grande número a essas legiões, visto que, imediatamente após a revolução, além de terem ficado sem trabalho, viam-se perseguidos pela população. O novo governo viu nelas um meio de se desembaraçar dos operários estrangeiros, e lhes concedeu *l'étape du soldat*, isto é, alojamento em viagem e um abono de marcha de 50 cêntimos por dia até a fronteira, onde imediatamente o ministro das Relações Exteriores, o retórico Lamartine[75], sensível até às lágrimas, encarregava-se de denunciá-los a seus respectivos governos.

Nós nos opusemos com a maior energia a essa tentativa de brincar de revolução. Em meio à efervescência reinante na Alemanha, fazer uma incursão ao país para impor a revolução de fora e à força equivalia a minar a revolução alemã, fortalecer os governos e entregar os próprios legionários – disso Lamartine se encarregava –, sem qualquer defesa, às tropas alemãs. Mais tarde, com o triunfo da revolução em Viena e em Berlim, a legião já não tinha mais nenhuma razão de ser;

mas, como já se tinha começado a brincadeira, prosseguiu-se com ela.

Fundamos um clube comunista alemão[76], no qual aconselhávamos os operários a se manterem à margem da legião e a retornarem individualmente a seu país para porem-se a serviço do movimento. Nosso velho amigo Flocon, que fazia parte do governo provisório, conseguiu para os operários por nós enviados as mesmas facilidades de viagem oferecidas aos legionários. Assim, pudemos enviar à Alemanha de 300 a 400 operários, entre os quais a grande maioria dos membros da Liga.

Como era facilmente previsível, a Liga acabou por ser uma alavanca débil demais diante do movimento desencadeado pelas massas. Três quartos de seus membros, antes residentes no estrangeiro, mudavam de domicílio com a volta ao país; dissolviam-se assim, em boa medida, suas antigas comunas e eles perdiam inteiramente o contato com a Liga. Uma parte deles, os mais ambiciosos, sequer se preocuparam em restabelecer esse contato, pondo-se cada um a organizar em sua localidade, por sua conta e risco, um pequeno movimento separado. Enfim, as condições existentes em cada pequeno Estado, em cada província, em cada cidade, eram tão diversas que a Liga não seria capaz de dar a seus filiados mais do que instruções bastante gerais, as quais podiam ser muito melhor transmitidas através da imprensa. Numa palavra: cessadas as causas que haviam tornado necessária a Liga secreta, essa perdia também qualquer significado. Mas quem menos podia se surpreender com isso eram precisamente os que tinham acabado de despojar tal Liga secreta dos últimos vestígios de seu caráter conspirativo.

Não obstante, agora ficava provado que a Liga fora uma excelente escola de atividade revolucionária. No Reno, onde a *Neue Rheinische Zeitung*[77] constituía um sólido centro, em Nassau, no Hessen renano, os que apareciam à frente da ala extrema do movimento democrático eram sempre membros da Liga. A mesma coisa se dava em Hamburgo. No sul da Alemanha, havia o obstáculo do predomínio da democracia pequeno-burguesa. Em Breslau, Wilhelm Wolff trabalhou com grande sucesso até o verão de 1848, chegando inclusive a obter um mandato da Silésia como deputado substituto ao parlamento de Frankfurt. Por último, em Berlim, o tipógrafo Stephan Born, militante ativo da Liga em Bruxelas e em Paris, fundou uma "Irmandade Operária" que teve discreta expansão e durou até 1850. Born, jovem de muito talento, mas que tinha demasiada pressa em se tornar uma personalidade política, "confraternizava" com os elementos mais díspares, desde que pudesse reunir à sua volta um amontoado de gente; estava longe de ser o homem capaz de trazer unidade às tendências heterogêneas e luz ao caos. De fato, nas publicações oficiais de sua associação misturavam-se, num mosaico multicolorido, as ideias defendidas no *Manifesto* com reminiscências e aspirações corporativas, com fragmentos de Louis Blanc e de Proudhon, ideias protecionistas, etc.; em resumo, procurava-se contentar a todos. Organizaram-se sobretudo greves, cooperativas sindicais, cooperativas de produção, mas esquecia-se de que o mais importante era conquistar, mediante vitórias políticas, o terreno sobre o qual aquelas coisas pudessem subsistir por muito tempo. Quando, mais tarde, as vitórias da reação fizeram os dirigentes da Irmandade sentir a necessidade de entrar diretamente na luta revolucionária, a massa confusa que se agrupava em torno deles acabou naturalmente por abandoná-los. Born tomou parte na insurreição de Dresden em maio de 1849[78] e teve sorte de escapar com vida. A Irmandade Operária, porém, frente ao grande movimento revolucionário do proletariado, comportou-se como uma simples sociedade à parte, que existia apenas no papel e cuja importância era tão secundária que, até 1850, a reação não julgou necessário suprimi-la, passando ainda vários anos sem se meter com outros de seus rebentos que continuaram a existir[79]. E Born, cujo verdadeiro nome é Buttermilch, não se tornou uma personalidade política, mas um modesto professor suíço, que já não traduz mais Marx para uma linguagem de tipo corporativo, mas sim o plácido Renan para o seu próprio alemão açucarado.

Com o 13 de junho de 1849 em Paris[80], a derrota das insurreições de maio na Alemanha e o esmagamento da revolução húngara pelos russos, encerrou-se todo um grande período da revolução de 1848. Mas a vitória da reação ainda estava longe de ser definitiva. Impunha-se uma nova organização das forças revolucionárias dispersas, e portanto também da Liga. As circunstâncias vetavam novamente, como antes de 1848, toda organização pública do proletariado; era preciso portanto voltar a se organizar secretamente.

No outono de 1849 a maior parte dos membros dos precedentes comitês centrais e congressos voltou a se reunir em Londres. Faltavam apenas Schapper, preso em Wiesbaden e que se apresentaria depois de absolvido na primavera de 1850, e Moll, que depois de ter cumprido uma série de missões perigosíssimas e várias viagens de agitação – a última das quais com o objetivo de recrutar, no interior mesmo do exército prussiano, na Província do Reno, artilheiros montados para as baterias do Palatinado[81] –, alistara-se na companhia operária de Besançon, do destacamento de Willich, morrendo na batalha do Murg, diante da ponte de Rotenfels, vitimado por um tiro na cabeça. Em troca, entrou em cena Willich. Willich era um daqueles comunistas sentimentais tão numerosos na Alemanha Ocidental a partir de 1845, e portanto só por isso já abrigava uma secreta e instintiva hostilidade contra nossa tendência crítica. Mas ele não se limitava a isso; era um perfeito profeta, convencido de sua missão pessoal de libertador predestinado do proletariado alemão e, como tal, aspirante direto tanto à ditadura política quanto à militar. Assim, junto ao comunismo cristão-primitivo pregado anteriormente por Weitling, surgiu uma espécie de Islã comunista. Mas naquele momento a propaganda dessa nova religião permaneceu circunscrita ao quartel de refugiados comandado por Willich.

A Liga foi portanto reorganizada, publicou-se a *Mensagem* de março de 1850 e Heinrich Bauer foi enviado à Alemanha como emissário. Redigida por Marx e por mim, a *Mensagem* conserva ainda hoje o seu interesse, pois a democracia pequeno-burguesa continua sendo até agora o partido que na próxima convulsão europeia, que não tardará a se produzir (o intervalo entre as revoluções europeias – 1815, 1830, 1848/1852, 1870 – é em nosso século de 15 a 18 anos), deverá certamente, num primeiro tempo, chegar ao poder na Alemanha para salvar a sociedade dos operários comunistas. Por isso, muitas das coisas que dizemos ali continuam válidas ainda hoje[82]. A missão de Heinrich Bauer foi coroada de pleno êxito. Aquele pequeno e alegre sapateiro era um diplomata nato. Reincorporou à organização ativa os antigos membros da Liga – uns estavam meio acomodados e outros agiam por conta própria –, e em particular os dirigentes da Irmandade Operária. E a Liga começou a desempenhar um papel predominante entre as associações operárias, camponesas e esportivas, em proporções bem superiores às de antes de 1848, a tal ponto que já na mensagem trimestral seguinte, dirigida às comunas em junho de 1850, foi possível fazer constar que o estudante Schurz, de Bonn (o futuro ex-ministro americano), tendo viajado através da Alemanha a serviço da democracia pequeno-burguesa, "descobrira que todos os elementos úteis já estavam nas mãos da Liga"[83]. Na realidade, a Liga era a única organização revolucionária de importância na Alemanha.

No entanto, a função que essa organização devia desempenhar dependia essencialmente do fato de se concretizarem ou não as perspectivas de um novo ascenso da revolução. E isso, no decorrer de 1850, tornou-se cada vez mais inverossímil, e mesmo impossível. A crise industrial de 1847, que preparara a revolução de 1848, já estava superada. Começara um período novo, até então nunca visto, de prosperidade industrial: quem tivesse olhos para ver e deles fizesse uso, tinha de se convencer de que a tormenta revolucionária de 1848 pouco a pouco se dissipava.

"Com esta prosperidade geral, em que as forças produtivas da sociedade burguesa se desenvolvem com toda a exuberância que lhes permitem as condições burguesas, *não se pode pensar numa verdadeira revolução*. Tal revolução só é possível naqueles períodos em que esses dois fatores, as forças produtivas modernas e as formas burguesas de produção, entram em conflito. As diferentes disputas por que se deixam levar e em que se comprometem reciprocamente os representantes das diferentes frações do partido da ordem no continente, longe de dar margem a novas revoluções, são ao contrário possíveis apenas porque a base das relações sociais é, por enquanto, tão segura e – coisa que a reação ignora – tão *burguesa*. Contra ela *irão se chocar* todas as tentativas da reação para conter o desenvolvimento burguês, *assim como toda a indignação moral e todas as proclamações entusiastas dos democratas*". Assim escrevíamos Marx e eu na "Resenha de maio a outubro de 1850" da *Neue Rheinische Zeitung. Politisch-ökonomische Revue,* fascículos V e VI, Hamburgo, 1850, p. 153[84].

Porém, essa fria avaliação da situação era para muitos uma heresia, num momento em que Ledru-Rollin, Louis Blanc, Mazzini, Kossuth e, entre os astros alemães de menor grandeza, Ruge, Kinkel, Goegg e não sei quantos mais, reuniam-se em bandos em Londres para formar governos provisórios do futuro, não só para seus respectivos países como para toda a Europa, e em que só faltava recolher na América os fundos necessários, a título de empréstimo revolucionário, para efetivar imediatamente a revolução europeia e com ela, naturalmente, as diversas repúblicas. E quem poderia estranhar que um homem como Willich se deixasse arrastar por isso, que Schapper também se deixasse levar por seu antigo ímpeto revolucionário, e que a maioria dos operários, em grande parte refugiados em Londres, os acompanhassem ao campo dos fabricantes democrático-burgueses de revoluções? A verdade é que o retraimento que defendíamos não era do gosto dessas pessoas, desejosas de que nos lançássemos ao esporte de fabricar revoluções. E como nos recusamos a isso com a maior energia, deu-se a cisão; o resto, o leitor lerá nas *Revelações*. Em seguida, sobreveio a prisão, em Hamburgo, primeiro de Nothjung e depois de Haupt, que traiu seus companheiros denunciando os nomes dos que formavam o comitê central de Colônia e que no processo acabaria por servir como a principal testemunha de acusação. Seus parentes, no entanto, não quiseram passar por essa vergonha e o enviaram ao Rio de Janeiro, onde mais tarde se estabeleceu como comerciante, chegando a obter, como pagamento por seus serviços, primeiro o cargo de cônsul-geral da Prússia e depois da Alemanha. Atualmente, está de volta à Europa*.

---

* *Schapper [1812-1870] morreu em Londres em fins da década de 1860. Willich [1810-1878] fez a guerra civil nos Estados Unidos, onde se distinguiu. Na batalha de Murfreesboro (Tennessee), como general de brigada, recebeu um tiro no peito, mas logrou curar-se. Morreu na América do Norte há uns dez anos. Sobre as demais pessoas a que se alude no texto, direi que Heinrich Bauer desapareceu na Austrália e que Weitling e Ewerbeck morreram nos Estados Unidos* [Nota de Engels].

Para melhor compreensão do que se segue, eis a lista dos acusados de Colônia: 1) P.G. Röser, operário na indústria de cigarros; 2) Heinrich Burgers, que morreria mais tarde como deputado progressista da Dieta; 3) Peter Nothjung, alfaiate, morto há poucos anos em Breslau como fotógrafo; 4) W.I. Reiff; 5) Dr. Hermann Becker, atualmente prefeito de Colônia e membro da Câmara Alta; 6) Dr. Roland Daniels, médico, morto poucos anos após o processo em consequência de uma tuberculose adquirida na prisão; 7) Karl Otto, químico; 8) Dr. Abraham Jacoby, atualmente médico em Nova York; 9) Dr. J.J. Klein, hoje médico e conselheiro comunal de Colônia; 10) Ferdinand Freiligrath, que já então se encontrava em Londres; 11) J. L. Ehrhard, viajante; 12) Friedrich Lessner, alfaiate, atualmente em Londres. Destes, foram condenados por tentativa de alta traição, após processo ante o júri que durou de 4 de outubro a 12 de novembro de 1852, os seguintes: Röser, Bürgers e Nothjung a 6 anos de reclusão em fortaleza; Reiff, Otto e Becker a 5; Lessner a 3; Daniels, Klein, Jacoby e Ehrhard foram absolvidos.

Com o processo de Colônia termina o primeiro período do movimento operário comunista da Alemanha. Imediatamente após a condenação, dissolvemos a nossa Liga; poucos meses mais tarde, desaparecia também a Liga divisionista (*Sonderbund*) de Willich-Schapper[85].

* * *

Entre aquela época e a de hoje há toda uma geração. A Alemanha era então o país do artesanato e da indústria doméstica baseada no trabalho manual; hoje é um grande país industrial, no qual ainda é contínua a revolução industrial. Naquela época era preciso procurar um a um os operários conscientes de sua situação de operários e de seu antagonismo histórico-econômico com o capital, pois esse próprio antagonismo ainda estava em formação. Hoje é preciso submeter todo o proletariado alemão a leis de exceção se se quer entorpecer, por pouco que seja, o processo de formação da sua plena consciência de classe oprimida. Naquela época, os poucos homens que tinham conseguido compreender o papel histórico do proletariado eram obrigados e se reunir secretamente, a se agrupar às escondidas em pequenas comunas de 3 a 20 indivíduos. Hoje o proletariado alemão já não necessita de nenhuma organização oficial, nem pública nem secreta[86]; basta-lhe o simples e natural vínculo entre companheiros de uma mesma classe, sem estatutos, órgãos dirigentes, deliberações, sem quaisquer outras formas tangíveis, para abalar todo o Império Alemão. Bismarck é árbitro na Europa que fica além das fronteiras alemãs; mas no interior da Alemanha levanta-se cada dia mais ameaçadora a figura atlética do proletariado alemão, que Marx previra já em 1844, o gigante para quem as estreitas paredes do edifício imperial, feitas sob medida para os filisteus, ficam demasiado pequenas, e cuja altura imponente e cujas espáduas robustas continuam a se desenvolver à espera do momento em que bastará levantar-se de seu assento para que toda a estrutura do Império Alemão salte em pedaços.

E não é só. O movimento internacional do proletariado europeu e americano é hoje tão forte que se converteram em entraves para ele não só sua primeira forma estreita – a Liga secreta –, mas também sua segunda forma, infinitamente mais ampla: a forma pública da Associação Internacional dos Trabalhadores; e o simples sentimento de solidariedade baseado na compreensão da identidade da situação de classe basta para criar e manter entre os operários de todos os idiomas o mesmo grande partido do proletariado. As teorias sustentadas pela Liga de 1847 a 1852, que então podiam ser tratadas com despeito pelos sábios filisteus como quimeras saídas de algumas cabeças loucas e exaltadas, como doutrina misteriosa de alguns chefes de seitas dispersas, contam agora com inumeráveis partidários em todos os países civilizados do mundo, tanto entre os condenados das minas siberianas como entre os faiscadores de ouro da Califórnia. E o criador dessa doutrina, o homem mais odiado e mais caluniado de seu tempo, Karl Marx, era, ao morrer, o conselheiro sempre solicitado e sempre solícito do proletariado de ambos os dois mundos.

Londres, 8 de outubro de 1885.

Notas de rodapé

1. Referência à revolução de fevereiro de 1848, em Paris.

2. *The Red Republican*: semanário cartista dirigido por *George Julian Harney* (1817-1897) e publicado em Londres de junho a novembro de 1850. No preâmbulo que preparou para a edição do *Manifesto*, Harney menciona, pela primeira vez, os nomes de Marx e Engels como autores do texto.

3. Referência à insurreição dos operários parisienses entre 23 e 26 de junho de 1848, por Engels definida, no prefácio à edição inglesa de 1888 (cf. *infra*), como a "primeira grande batalha entre proletariado e burguesia".

4. *Le Socialiste*: semanário publicado em francês, em Nova York, entre outubro de 1871 e maio de 1873; de dezembro de 1871 a outubro de 1872, órgão da seção francesa Associação Internacional dos Trabalhadores nos Estados Unidos. A tradução mencionada foi publicada em 1872.

5. Das traduções mencionadas nessas últimas linhas, apenas a russa de fato apareceu. Inexiste qualquer prova bibliográfica das demais. A única tradução do *Manifesto* publicada já em 1848 e descoberta intacta foi a edição sueca, *Förklaring av det Kommunistiska Partiet* (Estocolmo).

6. A Comuna de Paris estendeu-se de 18 de março a 28 de maio de 1871. *A Guerra Civil na França*, publicado como manifesto da Associação Internacional dos Trabalhadores naquele mesmo ano, foi, como se sabe, escrito por Marx (Edição brasileira: MARX-ENGELS. *Textos*. São Paulo: Edições Sociais, 1975, vol. I, p. 155-219).

7. A primeira tradução russa do *Manifesto* apareceu em Genebra em 1869, sem página de rosto, nome dos autores, indicação de tradutor e editor. Nunca puderam ser plenamente confirmadas as informações de que o tradutor tenha sido o anarquista *Mikhail Bakunin* (1814-1876) e a impressão ocorrida na tipografia do *Kolokol*, periódico de-

mocrático-revolucionário dirigido por A. Herzen. O presente prefácio foi escrito para a segunda edição russa do *Manifesto*, publicada igualmente em Genebra; o tradutor foi *George Plekhanov* (1856-1918) e não – como Engels afirmará no prefácio à edição inglesa de 1888 (cf. *infra*) – Vera Zasúlich. Engels reconhecerá o erro em 1894, no artigo "Soziales aus Russland".

8. Referência à situação criada após o assassinato do Czar Alexandre II por adeptos da organização secreta dos populistas russos "Vontade do Povo", a 1º de março de 1881. O novo czar, Alexandre III, evitava abandonar a residência imperial de Gátchina, em Petersburgo, por temor a novos atentados.

9. *Obchtchina*: comunidade rural, aldeã.

10. Marx morreu no dia 14 de março de 1883, em Londres, e foi enterrado nessa cidade, no cemitério de Highgate.

11. Essa foi a única edição inglesa de que Engels se ocupou pessoalmente: reviu a tradução, acrescentou notas informativas e preparou esse extenso prefácio, que, redigido diretamente em inglês, retoma o essencial dos prefácios anteriores.

12. O "Processo dos comunistas de Colônia" foi preparado pelo governo prussiano, em 1852, contra onze membros da Liga dos Comunistas, acusados de alta traição e condenados com base em documentos e testemunhos falsos. Cf., no presente volume, "Para a história da Liga dos Comunistas", de Engels (*infra*, "Anexos").

13. A Associação Internacional dos Trabalhadores (AIT), posteriormente conhecida como I Internacional, foi fundada em 28 de setembro de 1864 numa grande assembleia publica em Saint Martin Hall de Long Acre, Londres, na qual se elegeu um comitê provisório integrado por Marx. Em 1872 o Congresso de Haia determinou a transferência do Conselho Geral da AIT para os Estados Unidos, e nesse país ela subsistiu até o Congresso de Filadélfia, em 1876 (e não, como afirmará Engels algumas linhas mais abaixo, em 1874).

14. Referências aos adeptos de *Pierre-Joseph Proudhon* (1809-1865), escritor e economista francês, um dos fundadores do anarquismo, e de *Ferdinand Lassalle* (1825-1864), socialista, membro e primeiro presidente da União Geral Operária Alemã, fundada em 1863. Marx e Engels lutaram contra as tentativas dos proudhonianos de imporem seus princípios à I Internacional. Em 1847, respondendo ao

livro *Filosofia da Miséria,* de Proudhon (1846), Marx criticou duramente a doutrina proudhoniana em *Misérias da Filosofia* (Edição brasileira: São Paulo, Livraria Editora Ciências Humanas, 1982).

15. O presidente do Congresso das Trades Unions realizado em 1887 na cidade de Swansea foi W. Bevan.

16. A mencionada tradução inglesa foi publicada, na verdade, em 1871, no semanário norte-americano *Woodhull and Claflin's Weekly*, que circulou em Nova York de 1870 a 1876 dirigido pelas feministas Victoria Woodhull e Tennessee Claflin. Reproduzia a tradução de Helen Macfarlane de 1850.

17. A edição dinamarquesa reproduzia uma tradução publicada por Edvard Wiinblad (antigo secretário da seção da AIT em Copenhague) e publicada no *Social-Demokraten*. A nova tradução francesa foi feita por Laura Lafargue, segunda filha de Marx. E a edição espanhola era a reimpressão da tradução de José Mesa, um dos fundadores da Internacional na Espanha, publicada em novembro e dezembro de 1872 pelo jornal *La Emancipación*.

18. Referências aos partidários do socialista utópico inglês *Robert Owen* (1771-1858) e do socialista utópico francês *Charles Fourier* (1772-1837).

19. *Etienne Cabet* (1788-1856): advogado e escritor francês, comunista utópico e autor de *Viagem a Icária* (1840). O alfaiate e socialista alemão *Wilhelm Weitling* (1808-1871) foi destacada personalidade do movimento operário alemão em suas primeiras fases e um dos teóricos do comunismo "igualitário".

20. Engels cita aqui a primeira frase dos estatutos da Internacional.

21. Referência a *Charles Darwin* (1809-1882), cientista inglês, um dos fundadores da biologia moderna. Primeiro a apresentar, em *A origem das espécies* (1859), a teoria do desenvolvimento da natureza viva como evolução das formas simples às formas complexas.

22. Engels refere-se ao prefácio por ele escrito para a edição alemã de 1883.

23. Nesse ponto, Engels reproduz, com pequenas alterações, o prefácio escrito por ele e por Marx em 21 de janeiro de 1882 para a segunda edição russa (cf. *supra*). O original alemão, que Engels considerava perdido,

foi posteriormente encontrado e está hoje no Instituto de Marxismo-leninismo de Moscou.

24. Trata-se da edição surgida em Genebra em 1883. O tradutor foi W. Piekarski, redator-chefe do periódico *Predswit*, órgão dos socialistas poloneses.

25. A respeito das traduções mencionadas nos três últimos parágrafos, cf. notas anteriores.

26. A respeito dos personagens e fatos mencionados nos últimos parágrafos, cf. notas anteriores.

27. A 1º de maio de 1890, quando Engels redigiu o presente prefácio, realizavam-se, por deliberação do Congresso de Paris da II Internacional (julho de 1889), grandes manifestações de massa, greves e concentrações, em diversos países da Europa e da América, reivindicando basicamente a jornada de oito horas de trabalho.

28. A segunda edição polonesa do *Manifesto* surgiu em Londres. Reproduzia a tradução de Piekarski publicada em Genebra em 1883 (cf. nota 23). O socialista Mendelson, que mantinha contatos regulares com Engels, solicitou-lhe um prefácio especial, que, escrito em alemão e traduzido para o polonês, foi publicado no *Predswit* de 27 de fevereiro de 1892, pouco antes do aparecimento da edição completa do *Manifesto*.

29. Assim era denominada a região polonesa que, sob o nome oficial de Reino da Polônia, fora anexada à Rússia em função dos acordos do Congresso de Viena (1814-1815).

30. *Luís Bonaparte* (Napoleão III) (1808-1873): sobrinho de Napoleão I, presidente da Segunda República (1848-1851) e imperador da França (1852-1970). *Otto von Bismarck* (1815-1898): estadista e diplomata da Prússia e da Alemanha. Através de uma hábil, complexa e inflexível política, em que a diplomacia combinava-se com a guerra, conseguiu em 1871 reunificar a Alemanha sob a hegemonia da Prússia. Chanceler do Império Alemão de 1871 a 1890.

31. Referência à insurreição nacional-libertadora iniciada em janeiro de 1863 nas províncias polonesas que integravam o Império Russo. As potências da Europa Ocidental, em cuja intervenção confiavam os dirigentes do movimento, limitaram-se a realizar gestões diplomáticas, facilitando a derrota da insurreição pelos exércitos czaristas russos em 1864.

32. A primeira tradução italiana do *Manifesto*, feita por Pietro Gori, foi editada em Milão em 1891. Teve como base a tradução francesa de Laura Lafargue. Entre setembro e dezembro de 1892, o jornal milanês *Lotta di classe* publicou uma nova tradução, de Pompeo Bettini, baseada na edição alemã de 1883, texto que reapareceu em 1893, com alguns retoques, na "Biblioteca della Critica Sociale". Por solicitação do socialista Filippo Turati (1857-1932), diretor da revista *Critica Sociale*, Engels redigiu em francês um prefácio para a edição em preparo. O próprio Turati encarregou-se de traduzi-lo e de acrescentar o título "Ao leitor italiano". O texto francês definitivo está ao que tudo indica perdido, mas um rascunho, feito à mão por Engels, pôde ser recuperado pelo Instituto de Marxismo-leninismo de Moscou e usado para a recomposição da versão original.

33. *Pio IX* (1792-1878), papa de 1846 a 1878; *Nicolau I* (1796-1855), czar que governou a Rússia de 1825 a 1855; *Klemens Wenzel Lothar Metternich* (1773-1859), chanceler do Império Austríaco entre 1821 e 1843; *François Guizot* (1787-1874), historiador e estadista francês, político conservador e primeiro-ministro entre 1840 e 1848; em 1845 expulsara Marx de Paris.

34. Como explicam os diversos prefácios e suas respectivas notas (cf. *supra*), não foi possível a publicação imediata no *Manifesto* nas línguas mencionadas.

35. *August Harthausen* (1792-1868), barão prussiano e conselheiro governamental, autor de numerosos livros de economia; *Georg Ludwig von Maurer* (1790-1872), historiador alemão, investigador do regime social da Alemanha antiga e medieval; *Lewis Henry Morgan* (1818-1881), etnógrafo, arqueólogo e historiador norte-americano, autor de importantes estudos sobre o desenvolvimento da gens como forma principal da comunidade primitiva.

36. Mais tarde, como se sabe, no lugar das expressões "valor do trabalho" e "preço do trabalho", Marx e Engels empregaram conceitos mais precisos: "valor da força de trabalho" e "preço da força de trabalho". Cf. a "Introdução" de Engels (1891) à obra de Marx, *Trabalho assalariado e capital* (1847). (Edição brasileira: MARX & ENGELS. *Textos*. São Paulo: Edições Sociais, 1977, vol. III, p. 52-82).

37. A partir da segunda impressão do *Manifesto*, a menção às crianças desaparece. É evidente, porém, que a

alusão às diferenças de sexo e idade feita nas linhas subsequentes só ganha sentido se as crianças estiverem previamente mencionadas. Tal omissão foi corrigida por Karl Kautsky na edição alemã de 1912.

38. Lei de 8 de junho de 1847, que limitava a jornada de trabalho em dez horas a partir de 1º de maio de 1848.

39. Na edição inglesa de 1888, ao invés de lumpemproletariado, aparecem os termos "classe perigosa" (*dangerous class*) e "escória social" (*social scum*). Seja como for, Marx e Engels referem-se aqui à camada social composta de trabalhadores ocasionais, desempregados, indivíduos incapacitados de trabalhar, vagabundos, criminosos, etc. Mais tarde, em *O capital* (Edição brasileira Rio de Janeiro: Civilização Brasileira, 1971, Livro I, vol. II, cap. XXIII), ao estudar a produção progressiva de um exército industrial de reserva pela acumulação capitalista, Marx irá referir-se a essa camada como sendo "o mais profundo sedimento da superpopulação relativa que vegeta no inferno da indigência, do pauperismo". Em *O Dezoito Brumário de Luís Bonaparte*, de Marx, encontram-se diversas observações sobre o comportamento político dessa camada. O termo alemão *lumpen* quer dizer "andrajos".

40. Em 29 de julho de 1830, em reação a uma tentativa de golpe de estado do Rei Carlos X, um movimento revolucionário depôs a monarquia dos Bourbons – que governava o país desde a Restauração de 1814 – e a substituiu pela dos Orleans. Luís Filipe foi coroado rei da França e governou até a revolução de fevereiro de 1848. Na Inglaterra, sob a pressão de um expressivo movimento de massas, a Câmara dos Comuns aprovou uma reforma eleitoral que, ratificada pela Câmara dos Lordes em junho de 1832, facilitou o acesso dos representantes da burguesia industrial ao parlamento.

41. Referência a dois agrupamentos que frequentemente recorriam a métodos demagógicos para manipular e hegemonizar a classe operária: os *legitimistas* franceses, partidários da dinastia dos Bourbons destituída em 1830, e a *Jovem Inglaterra*, grupo formado em torno de 1842 por políticos e literatos ingleses vinculados aos Tories, o Partido Conservador; expressava basicamente o descontentamento da aristocracia agrária diante do aumento do poderio econômico e político da burguesia; dois de seus representantes mais ilustres foram Benjamin Disraeli (1804-1881) e Thomas Carlyle (1795-1881).

42. *Jean-Charles Sismondi* (1773-1842): economista e historiador suíço, autor de *Princípios de Economia Política* (1803).

43. "*Karl Grün* (1817-1887): publicista radical alemão, minuciosamente criticado por Marx e Engels em *A ideologia alemã* (1845-1846), parte IV.)

44. Cf. nota 14, supra.

45. *François-Noël ("Gracchus") Babeuf* (1760-1797): revolucionário utópico francês, um dos precursores do socialismo moderno e organizador da "Conspiração dos Iguais" (1795), em Paris.

46. *Henri Claude de Saint-Simon* (1760-1825): socialista utópico francês. Crítico do capitalismo, propunha sua substituição por uma sociedade baseada na ideia de associação, na indústria, no trabalho industrial e na planificação. Autor de vasta obra teórica e de divulgação. Quanto a Owen e a Fourier, cf. nota 17 dos "Prefácios", *supra*.

47. *Cartistas:* A National Charter Association foi fundada em 1839 com objetivo de lutar pela conquista de plenos direitos políticos para a classe operária e das demais reivindicações um ano antes formuladas no *People's Charter* (Carta do Povo): sufrágio universal a partir de 21 anos, reunião anual do parlamento, abolição da propriedade como critério eleitoral, voto secreto, voto distrital. *Reformistas*: democratas republicanos e socialistas partidários do periódico francês La Reforme (1843-1850), que lutava pela instauração da república e pela aplicação de reformas democráticas e sociais; de outubro de 1847 a janeiro de 1848, Engels foi seu assíduo articulista.

48. *Alexander Auguste Ledru-Rollin* (1807-1874): publicista e político democrático francês, diretor do periódico *La Réforme*, membro do governo provisório de 1848. Louis Blanc (1811- 1882): historiador e socialista moderado francês, personalidade da revolução de 1848-1849.

49. Insurreição iniciada em fevereiro de 1846 pelos democratas revolucionários poloneses com o objetivo de conquistar a emancipação nacional da Polônia; derrotada em março do mesmo ano.

50. O presente texto, esboço de programa para a Liga dos Comunistas, foi escrito por Engels no final de outubro de 1847, num contexto demarcado pela discussão, no interior da Liga, de um "Projeto de Profissão de fé comunista",

submetido ao exame das comunas em junho daquele mesmo ano. Cf. a respeito a "Introdução" ao presente volume.

51. Inexiste resposta. Engels deixou meia página em branco no original. No "Projeto de Profissão de fé comunista", onde a mesma questão aparece na pergunta 12, pode-se ler como resposta: "O artesão, assim chamado em oposição a proletário, o artesão tal qual existia por quase todo o século passado e existe ainda aqui e ali, é proletário no máximo *durante um certo tempo*. Seu objetivo é adquirir um capital e, assim, explorar outros operários. Frequentemente, ele consegue atingir esse objetivo nos locais onde as corporações (*die Zünfte*) ainda existem ou onde a liberdade industrial ainda não conduziu nem à organização fabril dos ofícios, nem a uma concorrência violenta. Porém, logo que o sistema fabril é introduzido nos ofícios e a concorrência alcança pleno progresso, essa perspectiva desaparece e o artesão torna-se cada vez mais proletário. O artesão se liberta, pois, *seja* tornando-se burguês ou passando em geral para a classe média, *seja* tornando-se proletário através da concorrência (como acontece na maioria das vezes) e ligando-se então ao movimento do proletariado, quer dizer, ao movimento comunista mais ou menos consciente". Cf. *Documents Constitutifs de la Ligue des Communistes*. Organização e apresentação de Bert Andreas. Paris: Aubier Montaigne, 1972, p. 132-133.

52. Ao que tudo indica, deveria permanecer a resposta formulada no "Projeto de Profissão de fé comunista": "As nacionalidades dos povos que irão se unir segundo o princípio da comunidade serão forçadas por essa união a se fundirem e, em consequência, a se suprimirem (*Aufzuheben*), assim como as diferenças de ordens (*Stände*) e de classes desaparecerão com a supressão (*Aufhebung*) de seu fundamento, a propriedade privada". *Documents Constitutifs de la Ligue des Communistes*, op. cit., p. 138-140.

53. No "Projeto de Profissão de fé comunista": "Todas as religiões até agora foram a expressão de estágios do desenvolvimento histórico de povos singulares ou de grupos de povos. O comunismo, porém, é o estágio de desenvolvimento que torna supérfluas todas as religiões existentes e as suprime". *Documents Constitutifs de la Ligue des Communistes*, op. cit., p. 140-141.

54. O texto dos presentes Estatutos foi aprovado no II Congresso da Liga dos Comunistas, em dezembro de 1847. É ostensiva a influência de Marx e de Engels no

estabelecimento dos novos princípios organizativos da Liga. Cf. a respeito a "Introdução" ao presente volume.

55. Sobre *Karl Schapper* (1812-1870), cf. o texto de Engels "Para a História da Liga dos Comunistas", no presente volume, infra.

56. Escritas por Marx e Engels em Paris, entre 21 e 29 de março de 1848, em nome do Comitê Central da Liga dos Comunistas. Tornaram-se a plataforma política da Liga na incipiente revolução alemã daquele ano. Publicadas em 31 de março, as *Reivindicações* foram distribuídas como documento de orientação aos membros da Liga que retornavam à Alemanha. Cf. a respeito o texto de Engels "Para a História da Liga dos Comunistas", no presente volume, infra.

57. Sobre os integrantes do Comitê, cf. o texto de Engels "Para a história da Liga dos Comunistas", no presente volume, infra.

58. Redigida em outubro de 1885, como prefácio à terceira edição do livro de Marx, *Revelações sobre o processo dos comunistas de Colônia.* O texto apareceu inicialmente, naquele mesmo ano, no periódico *Sozial-Demokrat*. Como fica expresso logo em suas primeiras linhas, Engels tomou como base documental as *Revelações* de Marx (1852) e o livro organizado por Stieber e Wermuth (de 1853-1854), além, é claro, de sua própria experiência pessoal. Derivam daí a precariedade e os equívocos de algumas das informações fornecidas por Engels, nem sempre fiéis aos pormenores dos fatos e à cronologia histórica.

59. *Jakobus Venedey* (1805-1871): jornalista, representante do partido radical-democrático na Assembleia Nacional de Frankfurt.

60. Referência às ideias e aos seguidores de *Gracchus Babeuf,* revolucionário utópico francês (1760-1797). Cf. tb. nota 45 ao texto do *Manifesto*, supra.

61. Organização republicano-socialista de caráter conspirativo e secreta que atuou em Paris entre 1837 e 1839, sob a direção de *August Blanqui* (1805-1881) e *Armand Barbès* (1809-1870), democratas radicais que participariam ativamente do movimento revolucionário de 1848. A 12 de maio de 1839 a *Société* estimulou e dirigiu uma insurreição popular que, sem maior base social, acabou contornada pela Guarda Nacional e por tropas governamentais.

62. Referência a um episódio da luta dos democratas na Alemanha, conhecido como "o atentado de Frankfurt": a 3 de abril de 1833, um grupo de políticos radicais assaltou a Dieta Federal de Frankfurt, órgão central da Confederação Alemã, com o objetivo de revolucionar o país e proclamar a república. A sublevação foi facilmente derrotada [Um ano depois, em fevereiro de 1834, a organização "Jovem Itália", fundada no exílio por *Giuseppe Mazzini* (1805-1872) em 1831, tentou realizar uma expedição de exilados políticos italianos e estrangeiros através da província de Savoia (no Piemonte, Itália), com o objetivo de iniciar uma insurreição pela unificação da Itália e pela república. O destacamento foi rapidamente derrotado por tropas do Piemonte].

63. Desde as primeiras décadas do século XIX, as autoridades governamentais chamavam de "demagogos" os representantes das ideias e posições liberal-democráticas na Alemanha. Em 1819, por iniciativa de Metternich, instituiu-se em todos os Estados alemães uma comissão especial para investigar e reprimir a atividade dos "demagogos".

64. Com seu núcleo na Great Windmill Street, Soho, essa Associação serviu durante anos como centro londrino do movimento dos trabalhadores alemães. Sobreviveu à dissolução da Liga dos Comunistas em 1852 e mais tarde vinculou-se ao Partido Social-Democrático Alemão. Foi dissolvida pelo governo britânico em 1918.

65. Citação extraída do texto de Marx, "Notas críticas para o artigo do 'Prussiano', 'O rei da Prússia e a reforma social'", publicado no *Vorwärts,* periódico alemão que se editou em Paris de janeiro a dezembro de 1844.

66. *Deutsch-Französische Jahrbücher* (*Anais Franco-Alemães*): periódico publicado em Paris, em alemão, sob a direção de Arnold Ruge e Marx. Apenas o primeiro fascículo (duplo) circulou, em fevereiro de 1844. Nele foram publicados os artigos de Marx, *A questão judaica* e *Contribuição à Crítica da Filosofia do Direito de Hegel* (*Introdução*), e os de Engels, *Esboço para a Crítica da Economia Política* e *Situação da Inglaterra.*

67. A *Associação Operária Alemã de Bruxelas* foi fundada por Marx e Engels em agosto de 1847, com o objetivo de educar politicamente os operários alemães residentes na Bélgica e propagar entre eles as ideias socialistas. Sus-

pendeu suas atividades pouco após a revolução de fevereiro de 1849 na França.

68. *Deutsche-Brüsseler Zeitung* (*Gazeta Alemã de Bruxelas*): periódico fundado pelos refugiados alemães em Bruxelas; circulou de janeiro de 1847 a fevereiro de 1848. A partir de setembro de 1847, Marx e Engels nele escreveram permanentemente, exercendo direta influência em sua orientação.

69. Fundada em Bruxelas no outono de 1847, a *Associação Democrática* reunia operários revolucionários e elementos de vanguarda da democracia liberal. Marx e Engels desempenharam ativo papel em sua fundação. Em novembro de 1847, Marx foi eleito seu vice-presidente, propondo o cargo de presidente ao democrata belga L. Jottrand. Com a deportação de Marx de Bruxelas em março de 1848, a Associação reduziu suas atividades, que praticamente cessaram um ano depois.

70. Sobre os periódicos citados nesse parágrafo, cf. notas aos "Prefácios" e ao texto do *Manifesto*, no presente volume.

71. *August Hermann Ewerbeck* (1816-1860): médico e literato alemão, um dos principais membros da Liga dos Justos em Paris; mais tarde membro da Liga dos Comunistas, da qual saiu em 1850.

72. A *Circular contra Kriege* foi escrita por Marx e Engels em 1846, tendo como alvo o jornalista Hermann Kriege (1820-1850), fundador do *Der Volks-Tribun* (*O Tribuno do Povo*) e propagandista do "verdadeiro" socialismo.

73. Cf. a íntegra desses Estatutos no presente volume, supra.

74. Cf. a íntegra desse documento no presente volume, supra.

75. *Alphonse-Marie-Louis de Lamartine* (1790-1869): poeta e historiador francês, republicano moderado; ministro das Relações Exteriores no governo provisório de 1848.

76. Referência ao *Clube dos Operários Alemães*, fundado em Paris em março de 1848 por dirigentes da Liga dos Comunistas com o objetivo de agregar os emigrados alemães e de lhes explicar a tática do proletariado na revolução democrático-burguesa.

77. *Neue Rheinische Zeitung. Organ der Demokratie* (*Nova Gazeta Renana. Órgão da Democracia*): diário publicado em Colônia de junho de 1848 a maio de 1849, sob a direção de Marx.

78. Referência ao levante armado de Dresden, entre 3 e 8 de maio de 1849, que, juntamente com as insurreições

na Alemanha do Sul e do Oeste no mesmo período, procurava defender a Constituição Imperial aprovada pela Assembleia Nacional de Frankfurt e rechaçada por vários Estados alemães. As insurreições tiveram caráter espontâneo e foram derrotadas em meados de julho do mesmo ano, após terem constituído o governo provisório do Palatinado. Cf. tb. nota 81, infra.

79. A *Irmandade Operária*, fundada por Stephan Born (1824-1898) em setembro de 1848 na cidade de Berlim, foi integrada basicamente por artesãos e seguiu uma linha de caráter mais economicista do que revolucionário. Sobreviveu à derrota da revolução de 1848 e, mesmo após a sua interdição em 1851, manteve por alguns anos uma organização semiclandestina.

80. A 13 de junho de 1849, em Paris, o partido pequeno-burguês (a "Montanha") organizou uma manifestação pacífica de protesto contra o envio de tropas francesas para reprimir a revolução na Itália. A manifestação foi dissolvida por tropas militares.

81. Referência à artilharia do exército revolucionário do Palatinado, formado durante a campanha em favor da Constituição Imperial, entre maio e julho de 1849. Cf. tb nota 78, *supra*.

82. Essa *Mensagem do Comitê Central* foi redigida por Marx e Engels em fins de março de 1850, quando ainda existiam expectativas de um novo ascenso revolucionário. Nela, Marx e Engels salientaram sobretudo a necessidade de um partido proletário independente, separado dos democratas pequeno-burgueses, que são duramente criticados no documento. A ideia fundamental da *Mensagem* é a de "tornar a revolução permanente até que o proletariado conquiste o poder de Estado": não se tratava, então, de "reformar a propriedade privada, mas de aboli-la", nem de "melhorar a sociedade existente, mas de fundar uma nova". A *Mensagem* foi difundida clandestinamente no interior da rede organizada pela Liga dos Comunistas na Alemanha. No Brasil, está reproduzida em MARX & ENGELS. *Textos*. São Paulo: Edições Sociais, 1977, vol. III, p. 83-92.

83. A *Mensagem* de junho foi escrita e publicada em circunstâncias idênticas às de março. Cf. nota 82, supra.

84. *Neue Rheinische Zeitung. Politisch-ökonomische Revue* (*Nova Gazeta Renana. Revista Política e Econômica*): órgão teórico da Liga dos Comunistas, fundado por Marx e En-

gels. Foram publicados seis números, de dezembro de 1849 a novembro de 1850.

85. *Sonderbund*: liga, ou união, separada. Por analogia com a união dos cantões católicos da Suíça nos anos 40 do século XIX, Marx e Engels chamavam assim, ironicamente, à fração dissidente de Willich e Schapper, que se afastaram após a cisão da Liga dos Comunistas, em setembro de 1850, para formar uma organização à parte, com seu próprio Comitê Central. Durante as discussões que precederam à cisão, Marx defendeu a ideia de que, em Londres, deveriam ser constituídos dois distritos da Liga, ligados entre si exclusivamente pelo vínculo com o mesmo Comitê Central. Cf. a respeito a "Introdução" ao presente volume.

86. Essas palavras de Engels são um repto irônico à política bismarckiana, que pretendia proibir a organização político-partidária do proletariado e reprimir o movimento operário.

Vozes de Bolso

- *Assim falava Zaratustra* – Friedrich Nietzsche
- *O príncipe* – Nicolau Maquiavel
- *Confissões* – Santo Agostinho
- *Brasil: nunca mais* – Mitra Arquidiocesana de São Paulo
- *A arte da guerra* – Sun Tzu
- *O conceito de angústia* – Søren Aabye Kierkegaard
- *Manifesto do Partido Comunista* – Friedrich Engels e Karl Marx
- *Imitação de Cristo* – Tomás de Kempis
- *O homem à procura de si mesmo* – Rollo May
- *O existencialismo é um humanismo* – Jean-Paul Sartre
- *Além do bem e do mal* – Friedrich Nietzsche
- *O abolicionismo* – Joaquim Nabuco
- *Filoteia* – São Francisco de Sales
- *Jesus Cristo Libertador* – Leonardo Boff
- *A Cidade de Deus – Parte I* – Santo Agostinho
- *A Cidade de Deus – Parte II* – Santo Agostinho
- *O conceito de ironia constantemente referido a Sócrates* – Søren Aabye Kierkegaard
- *Tratado sobre a clemência* – Sêneca
- *O ente e a essência* – Santo Tomás de Aquino
- *Sobre a potencialidade da alma – De quantitate animae* – Santo Agostinho
- *Sobre a vida feliz* – Santo Agostinho
- *Contra os acadêmicos* – Santo Agostinho
- *A Cidade do Sol* – Tommaso Campanella
- *Crepúsculo dos ídolos ou Como se filosofa com o martelo* – Friedrich Nietzsche
- *A essência da filosofia* – Wilhelm Dilthey
- *Elogio da loucura* – Erasmo de Roterdã
- *Utopia* – Thomas Morus
- *Do contrato social* – Jean-Jacques Rousseau
- *Discurso sobre a economia política* – Jean-Jacques Rousseau
- *Vontade de potência* – Friedrich Nietzsche
- *A genealogia da moral* – Friedrich Nietzsche
- *O banquete* – Platão
- *Os pensadores originários* – Anaximandro, Parmênides, Heráclito
- *A arte de ter razão* – Arthur Schopenhauer
- *Discurso sobre o método* – René Descartes
- *Que é isto – A filosofia?* – Martin Heidegger
- *Identidade e diferença* – Martin Heidegger
- *Sobre a mentira* – Santo Agostinho
- *Da arte da guerra* – Nicolau Maquiavel
- *Os direitos do homem* – Thomas Paine
- *Sobre a liberdade* – John Stuart Mill
- *Defensor menor* – Marsílio de Pádua
- *Tratado sobre o regime e o governo da cidade de Florença* – J. Savonarola
- *Primeiros princípios metafísicos da Doutrina do Direito* – Immanuel Kant
- *Carta sobre a tolerância* – John Locke
- *A desobediência civil* – Henry David Thoureau
- *A ideologia alemã* – Karl Marx e Friedrich Engels
- *O conspirador* – Nicolau Maquiavel
- *Discurso de metafísica* – Gottfried Wilhelm Leibniz
- *Segundo tratado sobre o governo civil e outros escritos* – John Locke
- *Miséria da filosofia* – Karl Marx
- *Escritos seletos* – Martinho Lutero
- *Escritos seletos* – João Calvino
- *Que é a literatura?* – Jean-Paul Sartre
- *Dos delitos e das penas* – Cesare Beccaria
- *O anticristo* – Friedrich Nietzsche
- *À paz perpétua* – Immanuel Kant
- *A ética protestante e o espírito do capitalismo* – Max Weber
- *Apologia de Sócrates* – Platão
- *Da república* – Cícero
- *O socialismo humanista* – Che Guevara
- *Da alma* – Aristóteles
- *Heróis e maravilhas* – Jacques Le Goff
- *Breve tratado sobre Deus, o ser humano e sua felicidade* – Baruch de Espinosa
- *Sobre a brevidade da vida & Sobre o ócio* – Sêneca
- *A sujeição das mulheres* – John Stuart Mill
- *Viagem ao Brasil* – Hans Staden
- *Sobre a prudência* – Santo Tomás de Aquino
- *Discurso sobre a origem e os fundamentos da desigualdade entre os homens* – Jean-Jacques Rousseau
- *Cândido, ou o Otimismo* – Voltaire
- *Fédon* – Platão
- *Sobre como lidar consigo mesmo* – Arthur Schopenhauer
- *O discurso da servidão ou O contra um* – Étienne de La Boétie
- *Retórica* – Aristóteles
- *Manuscritos econômico-filosóficos* – Karl Marx
- *Sobre a tranquilidade da alma* – Sêneca